60分でわかる！ THE BEGINNER'S GUIDE TO
COPYRIGHT ACT

最新

著作権

COPYRIGHT ACT

超入門

［編著］STORIA法律事務所 柿沼太一、杉浦健二、山城尚嵩

［著］石田怜夢、齋藤直樹、坂田晃祐、杉野直子
　　　田代祐子、菱田昌義、山口宏和

JN100035

技術評論社

1分で読む
デジタル時代の著作権

Q&A

Q. 私がネット上で公開したイラストがパクられ、SNSで似たようなイラストが公開されていました。
著作権侵害として訴えることはできますか？

A. 類似性・依拠性という要件を満たす必要あり

ある作品が著作権侵害といえるためには、類似性・依拠性という2つの要件を満たす必要があります。そのため、「パクり」がすべて著作権侵害にあたるわけではありません。

（→P.80）

Q. 画像生成AIで作成したイラストを利用するのは
著作権侵害になりますか？

A. ただちに侵害とはならないが…

既存の著作物に「類似」する著作物が出力された場合であって、学習データに既存の著作物が含まれているような場合には著作権侵害となりえます。

（→P.138）

Q. 生成AIで作成したAI生成物は、プロンプトを入力した人
の著作物として保護されますか？

A. 創作意図・創作的寄与がポイント！

AI生成物が著作物として保護されるためには、著作物を創作する意図（創作意図）と、創作に向けられた寄与（創作的寄与）が必要です。

（→P.140）

Q. 発注したクリエイティブを幅広く活用したいので、権利をすべて買い取ることはできますか?

A. 一部譲渡を受けられない権利も!

著作権法が定める著作者の権利の中には、譲渡可能な著作権だけでなく、譲渡不可能な著作者人格権があります。また、著作権のうち翻案権など一部の権利については、譲渡の対象となることを契約書等で明示的に規定する必要があります。

（→P.18、30、104）

Q. 著作者の死亡から70年経てば、作品の著作権はすべて切れるのですか?

A. 原則は70年だが…

著作権の保護期間は、原則として、著作者の死後70年を経過するまでとされていますが、たとえば映画の著作物等は、原則公表後70年とされるほか、戦時加算という特別なルールもあります。

（→P.24）

Q. 無断での引用はダメですか?
評論のために引用するSNSの発言やそのスクショを掲載するには、本人の許諾が必要ですか?

A. 要件を満たせば無断引用は「OK」

引用は著作権法が定めた「権利制限規定」と呼ばれる著作物の利用ルールです。そのため、著作権法上の引用要件を満たせば、別途本人に許諾を得る必要はありません。

（→P.58、60、98、118）

Q. YouTubeで「歌ってみた」動画をアップしたいのですが、好きなアーティストの音楽を使っても大丈夫ですか?

A. 音源そのものを使うとNGの場合も!

著作権を管理するJASRACとYouTubeとの取り決めにより楽曲を使うことは可能です。ただし、CD音源を利用する場合には、レコード会社等の許諾が必要になることがあります。

（→P.112）

Contents

1分でわかる デジタル時代の著作権 Q&A ·········· 2

Part 1 デジタル時代も変わらない基礎知識
著作権とは何か

·········· 9

001 著作権法の目的とデジタル社会における技術の進歩 ·········· 10
002 著作権法の特徴と他の知的財産権との違い ·········· 12
003 著作物、著作者、著作権者と著作者の権利 ·········· 14
004 著作物とは著作権法により保護される対象 ·········· 16
005 著作者人格権とは著作者にのみ帰属する権利 ·········· 18
006 著作物を翻案して創作される二次的著作物とその権利関係 ·········· 20
007 誰が著作者になるのか? 著作者の認定と職務著作等の例外 ·········· 22
008 著作権の保護期間(存続期間)は70年に ·········· 24
009 著作隣接権の内容とその権利が認められる者 ·········· 26
Column 所有権と著作権の違い ·········· 28

Part 2 著作権の基礎知識
著作権法で保護される権利を理解する

·········· 29

010 著作権法で保護される権利はどのような内容か ·········· 30
011 著作権① 著作物の法定利用行為と
著作権の代表例である「複製権」 ·········· 32

012 著作権② 上演、演奏、公衆送信等を可能とする
著作物の「提示」の類型 ································ 34

013 著作権③ 著作物の「提供」類型の3パターン 頒布、譲渡、貸与 36

014 著作物の種類とプログラムの著作物 ···················· 38

015 「編集著作物」と「データベース著作物」 ···················· 40

016 「出版権」は著作物の利用を排他的に行う権利 ············· 42

017 美術の著作物の保護範囲 ····························· 44

Column コピーライト表記は不要? ····················· 46

Part

3

著作権に開いた穴

権利制限規定を
使いこなす

······················ 47

018 公正な利用促進のための「権利制限規定」とは ············· 48

019 権利制限規定における3つのカテゴリとその根拠 ··········· 50

020 もっとも身近な権利制限規定「私的使用目的の複製」 ········· 52

021 写り込み等は「付随対象著作物の利用」として認められている 54

022 図書館等の蔵書のコピーは認められている ················ 56

023 引用① 「引用による利用」と旧来の裁判例における引用の要件 58

024 引用② 「公正な慣行」と「引用の目的」は個別に判断される ······ 60

025 著作物の検討の過程において認められる利用 ············· 62

026 学校の教育活動において認められる利用 ················ 64

027 美術の著作物等に適用がある特別な権利制限規定 ········· 66

Column 著作物でないデータベースの利用と不法行為 ········· 68

Part 4 著作権者・著作物利用者双方の立場から

デジタル時代の
著作権の使い方 69

028 権利者からみた著作権の活用方法 70

029 他人の著作物を利用したい場合に検討する権利処理の方法 72

030 著作権の譲渡時には、当然には
譲渡できない権利に注意が必要 74

031 著作物のライセンスとその利用権 76

032 著作権等の侵害と差止請求・損害賠償請求 78

033 著作権侵害の要件は類似性と依拠性の両方を満たすこと 80

034 著作権侵害では損害賠償額が推定されることがある 82

035 共有となった著作権は他の共有者の
合意がないと利用できない 84

036 クリエイティブ・コモンズ・ライセンス（CCライセンス）とは 86

037 OSS（オープンソースソフトウェア）と著作権 88

Column 商用利用かどうかは権利処理に影響するのか？ 90

Part 5 利用者が知っておくべき

ウェブサービス・SNSと
著作権 91

038 「著作権フリー」素材でも利用には注意が必要 92

039 リンクを張る行為と著作権侵害 94

040 SNSやブログで他人の著作物を投稿する際の留意点 96

041 X（旧Twitter）と著作権① 他人の投稿をスクショした画像 98

042 X（旧Twitter）と著作権② リツイートと著作者人格権 100

043 建築物を撮影した写真をウェブで利用する場合の注意点 102

044 コンテンツ制作に関する契約と著作権① 発注者の立場から ····· 104
045 コンテンツ制作に関する契約と著作権② 受注者の立場から ····· 106
046 他社の利用規約をそのまま使用すると、著作権侵害になるのか··· 108
047 コンテンツの軽微利用が認められる所在検索サービス ····· 110
048 「歌ってみた」「弾いてみた」投稿と著作権法 ····· 112
049 事業者によるユーザー投稿コンテンツの権利処理 ····· 114
050 NFTコンテンツと著作権 ····· 116
Column 著作権法上の引用要件を満たしているのに
「かさねて許諾」を得る必要はあるのか ····· 118

Part 6 機械学習や生成AIに関する法律

AI 時代の著作権を知る ケーススタディ

····· 119

051 AIと著作権法の問題領域 ····· 120
052 AI開発・学習のための複製・利用は原則著作権侵害とならない··· 122
053 「著作権法30条の4」の導入により何が変わったのか ····· 124
054 生成AIにおける「学習」と「著作権法30条の4」の限界 ····· 126
055 無許諾でAI学習に利用できない例外を定めた
「著作権法30条の4ただし書」 ····· 128
056 AI開発・学習とライセンス処理 ····· 130
057 RAG（検索拡張生成）と著作権侵害 ····· 132
058 生成AIの利用による著作権侵害 ····· 134
059 画像生成AIにおけるLoRAと著作権侵害 ····· 136
060 生成AIによる「偶然」の類似物生成と著作権侵害 ····· 138
061 AI生成物に著作物性が認められるか ····· 140
062 日本国著作権法の適用範囲は利用行為地で決まる ····· 142

●付録 契約書ひな形············ 144

●凡例・略称

略称	正式名称
著	著作権法（昭和 45 年 5 月 6 日法律第 48 号）
知	知的財産基本法（平成 14 年法律第 122 号）
民	民法（明治 29 年法律第 89 号）
旧法	旧著作権法（明治三十二年法律第三十九号）

条文番号には、算用数字（1、2…）を使用しています。

■『ご注意』ご購入・ご利用の前に必ずお読みください

本書に記載された内容は、情報の提供のみを目的としています。したがって、本書を参考にした運用は、必ずご自身の責任と判断において行ってください。本書の情報に基づいた運用の結果、想定したとおりの成果が得られなかったり、損害が発生しても弊社及び編著者、著者はいかなる責任も負いません。

本書は、著作権法上の保護を受けています。本書の一部あるいは全部について、いかなる方法においても無断で複写、複製することは禁じられています。

本文中に記載されている会社名、製品名などは、すべて関係各社の商標または登録商標、商品名です。なお、本文中には ™ マーク、® マークは記載しておりません。

Part

1

デジタル時代も変わらない基礎知識

著作権
とは何か

著作権法の目的と
デジタル社会における技術の進歩

● デジタル社会における著作権法とAIの台頭

　著作権法は、「文化的所産の公正な利用に留意しつつ、著作者等の権利の保護を図り、もって文化の発展に寄与する」ことを目的とする法律です 著1条 。この目的規定にも表れているとおり、著作権法は、文化の発展という目的で、著作物を創作した者に権利を付与し、また著作物の利用者における公正な利用の確保を調整するためのルールを定める法律といえます。

　元来、**複製技術の登場にともない文芸作品を保護する目的で生まれた著作権法ですが、現在ではその保護対象を拡張させ、プログラムやデータベースをも保護する役割を担っています**。また、デジタル技術の進展によって、今日では、誰もが容易に低コストで著作物を複製（コピー）・翻案（P.20 参照）し、インターネット上に配信することができます。このような状況においては、**コンテンツビジネスやウェブサービスを提供する事業者はもちろんのこと、SNS やブログ等のインターネットサービスを利用する個人まで、著作権を身近なものとして理解し、利用していくことが求められています**。

　2022 〜 2023 年にかけては特に、画像・言語の領域を中心に生成AI 技術が台頭したことで、AI と著作権法について様々な議論を巻き起こしました。

　本書では、著作権法の基礎知識からこれらの最新の動向まで、デジタル時代の著作権法についてわかりやすく紐解いていきます。

● 著作権法の目的

文化の発展に
寄与

公正な利用

著作権者などの
権利の保護

● デジタル時代の著作権法

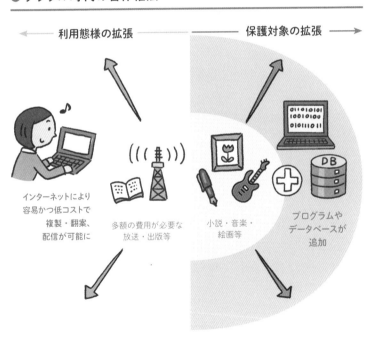

←—— 利用態様の拡張 ——

—— 保護対象の拡張 ——→

インターネットにより
容易かつ低コストで
複製・翻案、
配信が可能に

多額の費用が必要な
放送・出版等

小説・音楽・
絵画等

プログラムや
データベースが
追加

まとめ	□ 著作権法は権利保護と公正な利用のバランスを図る法律 □ デジタル技術の進展に伴い、著作権法の意義が変容している

著作権法の特徴と
他の知的財産権との違い

● 似ているようで異なる様々な知的財産権

知的財産権は「特許権、実用新案権、育成者権、意匠権、著作権、商標権その他の知的財産に関して法令により定められた権利または法律上保護される利益に係る権利」と定義され 知2条2項 、それぞれ権利の保護対象が異なります。

特許法と**実用新案法**は、「発明」「考案」という技術的なアイディアを保護するものです。また、**意匠法**は、工業製品のデザインを保護するものです。そして、**商標法**は、商品・サービスに付された商標（出所を示すロゴ等）を保護するものです。これらの法律に規定される権利は産業との関わりが深いものであることから産業財産権と呼ばれます。

これに対し、本書で取り扱う著作権法は、著作物を保護対象とするものです（P.10参照）。著作権法により規律される著作権は、産業財産権と比較すると、次のような特色があります。

まず、権利の発生に関して、前者の産業財産権の発生には特許庁の登録が必要ですが、**著作権は著作物の創作と同時に発生し、権利の発生に登録を要しません（無方式主義）**。また、著作権の存続期間は、産業財産権と比較して長期に及びます（右上表参照）。これらの知的財産権は相互に排斥し合うものではありません。むしろ、身近なものの多くは知的財産権の集合体ということができます（右下図参照）。

昨今、生成AIが話題となっていますが、AIで用いられるプログラム等も著作権法で保護され（P.140参照）、著作権法は年々産業との密接な関わりを有するに至っています。

● 知的財産権の種類

知的財産権の種類	権利の発生	存続期間
特許権	登録	出願の日から原則20年
実用新案権	登録	出願の日から最長10年
意匠権	登録	登録から始まり、出願から最長25年で終了
商標権	登録	出願の日から10年。ただし更新可
著作権	不要	原則著作権者の死後70年

● こんなに身近な知的財産権

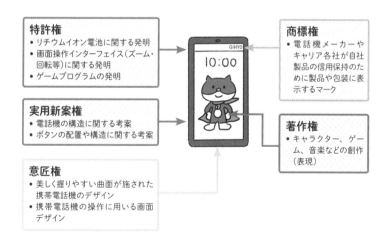

特許権
- リチウムイオン電池に関する発明
- 画面操作インターフェイス(ズーム・回転等)に関する発明
- ゲームプログラムの発明

実用新案権
- 電話機の構造に関する考案
- ボタンの配置や構造に関する考案

意匠権
- 美しく握りやすい曲面が施された携帯電話機のデザイン
- 携帯電話機の操作に用いる画面デザイン

商標権
- 電話機メーカーやキャリア各社が自社製品の信用保持のために製品や包装に表示するマーク

著作権
- キャラクター、ゲーム、音楽などの創作(表現)

出典:特許庁「デザイナーが身につけておくべき知財の基本」
https://www.jpo.go.jp/resources/report/kyozai/document/chizai_kyozai-designer-kihon/part02.pdf

まとめ	☐ 著作権は他の産業財産権と異なり、登録不要で発生する ☐ 著作権は近年産業との密接な関わりを持つに至っている

著作物、著作者、
著作権者と著作者の権利

● 著作権にかかわる基本用語を理解しよう

まず、**著作物とは**、「思想または感情を創作的に表現したものであつて、文芸、学術、美術または音楽の範囲に属するもの」をいいます 著2条1項1号 (P.16 参照)。特に、ありふれた表現やアイディアは保護の対象にならないことが重要です。

次に、**著作物を創作した者を著作者**といいます。著作権法は、①**著作権**と②**著作者人格権**を「著作者の権利」として認めています（右上図参照）。

たとえば、小説を書いた著者（**著作者**）は、小説の複製を認めたり、舞台での上演を認める権利を有しています。

しかし、著作権者に権利があるといえども無制限ではなく、たとえば「引用」など法律によって権利が制限される場合があります（P.58 ～ 61 参照）。また、保護期間も、著作権者の死後原則 70 年という制限があります 著51条 (P.24 参照)。

著作者は、著作権の活用方法として、**著作権を譲渡** 著61条 したり、**利用許諾**（ライセンスともいう）著63条 することができます。つまり、著作権は譲渡できるため、常に著作権が著作者の元にあるとは限りません。このように著作者から譲渡を受けるなどして、現に著作権を有している者を**著作権者**といいます。

著作権者や著作者は、自らの著作権や著作者人格権が侵害され、または侵害されそうなときに、**差止請求** 著112条 や**損害賠償請求** 民709条 をすることができます。

● 著作物と著作者の権利

著作物

著作物を創作した人
（著作者）

著作者に発生する権利

1. 著作権（財産的権利）
   第三者に譲渡可能

2. 著作者人格権（人格的権利）
   第三者に譲渡不可

● 著作者と著作権者が異なることもある

著作者が著作権を有する場合

著作権者＝著作者

著作権を譲渡した場合

著作権者と著作者は別となる

まとめ	□ 著作物、著作者、著作権はそれぞれ異なる意味である □ 著作者と著作権者は同一の場合も、別人格の場合もある

著作物とは著作権法により
保護される対象

● 著作権法により保護される範囲

　著作権法で保護される「著作物」は、①**思想または感情を、**②**創作的に、**③**表現したものであって、**④**文芸、学術、美術または音楽の範囲に属するもの**という要件を満たす必要があります 著2条1項1号。ただし、④は例示であり、①〜③を満たすもの（詩、音楽、絵画、写真等）であれば、著作物性が認められると考えられています。

　幼児によるお絵かきも著作物となると説明がされることがあるように、その保護範囲は広いですが、その外縁を知るために、著作物性が否定される典型的な場合を確認しておきます。

　まず、①思想または感情に該当しないもの、たとえば、2020年東京オリンピックが1年延期されたという「歴史的事実」や、ある地域の年間降雨量などの「データ」は、著作物には該当しません。また、人の介在無く動物が撮影した写真や機械が自動撮影した動画も、「思想または感情」という要件を欠くために著作物には該当しません。

　次に、②創作性については、著作者の個性が何らかの形で表現されていればいいとされており、**芸術性の高低**は基準とはされていません。幼児によるお絵かきも著作物になり得ます。ただし、定義、タイトルや標語等で誰が作っても似たような表現（ありふれた表現）になる場合は、創作性が否定される傾向にあります。

　最後に、③表現である必要があり、**思想（アイディア）自体は保護されない**ことが重要です。画風、作風、曲調、叙述方式等については、表現にはあたらず、著作物には該当しないとされています。スポーツのルールといったものもアイディアであり保護対象外です。

● 著作物とは

> **著作権法2条1項1号（定義）**
>
> **著作物** 思想又は感情を創作的に表現したものであつて、文芸、学術、美術又は音楽の範囲に属するものをいう。

著作物ではないものの例

データ・事実

アイディア・ルール

作風

● 1つの作品の中にも著作物性の有無が分かれる

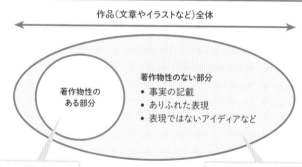

作品（文章やイラストなど）全体

著作物性の
ある部分

著作物性のない部分
• 事実の記載
• ありふれた表現
• 表現ではないアイディアなど

著作権法による保護
の対象

著作権法による保護の対象外
であり、自由に利用可能（ただ
し、契約やその他の法律での
制限があれば検討が必要）

出典：文化庁資料9ページをもとに作成
https://www.bunka.go.jp/seisaku/chosakuken/pdf/93903601_01.pdf

まとめ	□ 著作権は、作品全体のうち著作物性が認められる部分に発生する □ 事実の記載やありふれた表現などは、著作物性が否定される

著作者人格権とは著作者にのみ帰属する権利

● 著作者に一身専属的な3つの著作者人格権

　著作権法は、著作者の権利として著作権とは別に著作者人格権を認めています。**著作者人格権は**、著作者の人格的利益を保護する権利であって、**①公表権** 著18条 、**②氏名表示権** 著19条 、**③同一性保持権** 著20条 の3つからなります。

　公表権とは、未公表の自己の著作物について、公表するかしないか、公表する場合の公表時期を決定できる権利をいいます。

　氏名表示権とは、著作物を公表する際に、著作者名を表示するか否か、表示するとすれば実名または変名（筆名）のいずれかで表示するのかを決定できる権利をいいます。

　同一性保持権とは、自己の著作物やその題号について、著作者の意に反して無断で変更、切除その他の改変をされない権利をいいます。たとえば、ゲームソフトのストーリーの改変、X（旧Twitter）のタイムラインに表示される画像の改変等について、同一性保持権の侵害を認めた裁判例があります。

　著作者人格権は、プライバシー権や肖像権等と同様に「人格権」であることが本質です。そのため、**著作者にのみ一身専属的に帰属**し、財産権である著作権とは異なり、**譲渡や相続ができません**（右下表参照）。

　したがって、他人の著作物の譲渡を受ける著作権譲渡契約においても、著作者人格権は譲渡できません。その代わりに、著作権譲渡契約においては、契約書に「**著作者人格権を行使しない**」という著作者人格権の不行使条項を規定することが必要です。

● 著作者人格権の主な3つの権利

公表権

○月 公開日

- 公表するかしないか
- 公表する場合の公表時期の決定

氏名表示権

イラスト：●●●●　←

氏名を表示するかしないか

同一性保持権

No!

無断で変更・切除
その他の改変をさ
れない

● 著作権と著作者人格権との差異

	本質	譲渡	相続	存続期間
著作権	財産権	可能	可能	原則死後70年
著作者人格権	人格権	不可 著59条	不可	原則生存中(ただし、故人について人格的利益の保護がなされることがある 著60条)

まとめ	□ 著作者人格権は、公表権・氏名表示権・同一性保持権からなる □ 著作権と著作者人格権は、譲渡・相続の可否等が異なる □ 著作者人格権の不行使約が重要になる

著作物を翻案して創作される
二次的著作物とその権利関係

● 近時では二次創作ガイドラインが公表されるケースも

　二次的著作物とは、「著作物を翻訳し、編曲し、若しくは変形し、または脚色し、映画化し、その他翻案することにより創作した著作物」をいいます 著2条1項11号 。平たくいうと、既存の著作物（原著作物）を下敷きに、オリジナルの表現を付加した著作物をいい、たとえば、小説をもとに創作された漫画や映画がこれにあたります。

　二次的著作物を考える場面では、原著作物と二次的著作物の権利関係を理解することが肝心です。まず、原著作物の著作権者は、原著作物を**翻案**（ある著作物を元に、元の著作物の要素を残したまま別の著作物を作成すること）等をする権利を有しています 著27条 。そのため、**原著作物の著作権者に無断で二次的著作物を創作すると原著作権者の有する翻案権等の侵害**になります。

　また、二次的著作物については、原著作権・二次的著作権者がそれぞれどの部分に権利を有するかが重要です 著28条 （右下図参照）。

　Aが創作した小説について、Bがイラストやコマ割りを考えて漫画にした場合を例にします。まず、Bは、漫画のイラスト等の固有の創作的部分についてのみ権利を有し、Aが創作した小説部分について権利を有しません。次に、Aは、自己の創作した小説部分のみならず、Bが創作した漫画についても権利を有します。

　最近では、キャラクターの利用などを中心に、原著作権者としても、自己の作品を二次創作での利用を楽しんでもらうため、一定の範囲で二次的著作物の創作を推奨する場合もあります。その際に、原著作権者が「**二次創作ガイドライン**」を公表するケースも増えてきています。

● 二次的著作物に関する判例

入門漢方医学事件

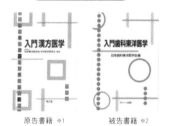

原告書籍 ※1　　被告書籍 ※2

被告書籍は、原告書籍に依拠して作成され、原告書籍の本質的特徴である図形等に変更を加えたものであり、翻案権侵害を肯定

プロ野球ドリームナイン事件

控訴人ゲーム　　被控訴人ゲーム

氏名の表記や星の数、色味や炎などが違うとして翻案権侵害を否定（両ゲームともNPBによる選手写真の利用許諾を得ている）

※1　出典：紀伊國屋書店　https://www.kinokuniya.co.jp/f/dsg-01-9784524235711
※2　出典：honto　https://honto.jp/netstore/pd-book_03075257.html
※3　出典：判決別紙から引用　https://www.courts.go.jp/app/files/hanrei_jp/179/085179_hanrei.pdf

● 原著作権者と二次的著作物の著作権者が有する権利

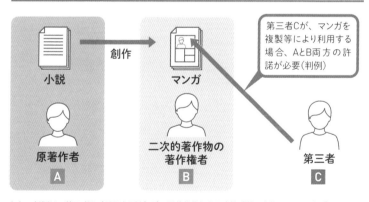

第三者Cが、マンガを複製等により利用する場合、AとB両方の許諾が必要（判例）

創作

小説　　マンガ

原著作者　　二次的著作物の著作権者　　第三者

A　　B　　C

なお、判例は、第三者Cが利用する対象が、原著作物からは直接感得できない、マンガの「イラスト部分のみ」であっても、原著作者Aの許諾が必要とする

まとめ
□ 二次的著作物について、原著作権者と二次的著作権者のそれぞれが権利を有する
□ 二次創作ガイドラインが公表されている場合がある

誰が著作者になるのか?
著作者の認定と職務著作等の例外

● 著作物の創作者以外に著作権が認められるケース

　著作権とは著作物を独占して利用できる権利であるため、ある作品ができたとき、しばしばその著作者は誰かが問題になります。

　著作権法上は、「**著作者＝著作物の創作者**」となるのが原則です。したがって、単に制作資金を拠出したに過ぎない者は著作者となることはありません。また、企画やアイディアのみを提供したに過ぎず、表現の創作に関与していない者や、指示を受けて行う事務的作業などの創作性のない行為をしたに過ぎない者も著作者となりません(右上図参照)。あくまで、**当該著作物の創作的表現を創作した者のみが著作者**となります。

　ただし、法人に属する従業員が仕事で作った場合や映画の著作物については例外ルールが適用されます。

　第一の例外が**職務著作** 著15条 です(右中表参照)。職務著作は、会社の従業員が職務上作成する著作物であって、当該会社の著作名義の下に公表される著作物の著作者を、従業員ではなく会社とするルールです。職務著作制度により、会社は、従業員が制作した著作物を幅広く事業上利用でき、またコンテンツを利用したい第三者にとっても、会社との間で権利処理をすれば足りることとなります。

　第二の例外が、**映画の著作物**についてのルールです。多額の資金が投じられ、また多数の者が製作に関与する映画の著作物については、**著作者の認定** 著16条 、**権利帰属** 著29条 につき、特別のルールが定められています(右下図参照)。

● 著作者にあたらない例

制作資金の提供者

アイディアの提供者

指示を受け事務的
作業にのみ従事する者

● 職務著作の要件

要件	内容
法人等の発意	著作物作成の意思が直接または間接に使用者の判断にかかっていること
業務従事者	①法人等の指揮監督下における労務提供の実態があること、②法人等による金銭の支払いが当該労務提供の対価であると評価できること(最高裁平成15年4月11日判決)
職務上作成	従業者の直接の職務内容として著作物が作成されること
公表するもの	未公表であっても、法人等の著作名義で公表が予定されていたものも含む
別段の定めの不存在	作成時における契約等に別段の定めがあれば、職務著作は成立しない

● 映画の著作物に関するルール※

著作者の認定ルール 著16条
映画の著作物の全体的形成に創作的に寄与した者のみが著作者となる(例:映画監督等)

映画の著作物の著作権の帰属ルール 著29条
創作者主義の原則を修正し、著作者である映画監督等ではなく、映画の著作物の製作に発意と責任を有する者(映画製作者)に、著作権が原始帰属する

※ 原作小説などを素材とするものであっても、原作小説の著作者は、映画の著作物の著作者とはならない

まとめ	□ 著作者＝著作物の創作者が大原則(創作者主義の原則) □ 創作者主義の原則の例外として、職務著作等がある

著作権の保護期間（存続期間）は 70年に

○ 著作権は、いつから、いつまで保護されるのか

著作権は、特許権等とは異なり登録は不要（無方式主義）であり 著17条2項 、創作と同時に発生します 著51条1項 。①**原則として、②著作者の死後、③70年を経過するまで存続します** 同2項 。

まず、①の著作者の死後70年というのは原則です。例外の概要は右下表のとおりであり、複雑な規定があります。

次に、②の著作者の死後という期間計算は、死亡日からではなく、著作者が死亡した日の属する年の翌年の1月1日から起算するとされています（暦年主義。 著57条 、 民143条 ）。たとえば、著作権者が、2023年1月5日に死亡した場合も、同年12月25日に死亡した場合も、2024年1月1日から計算が開始されます。そして、著作権は、70年後である2093年12月31日まで存続することになります。

最後に、③の保護期間70年は、2018年12月29日までは50年間でした。しかし、TPP協定（環太平洋パートナーシップ協定）と関連する整備法等により、同年12月30日から70年に変更されました（ただし、保護の不遡及という原則が適用されたため、一度消滅した著作権が復活することはない）。そのため、1972年に亡くなった作家、川端康成の著作物は旧保護期間では2023年1月1日からパブリック・ドメインとなり、インターネットサービス等で自由に読める状態になる予定でしたが、現行法では、さらに20年後の2043年まで、引き続き著作権が存続することになりました。海外のコンテンツに目を向けても、蒸気船ウィリーやくまのプーさんなど、話題に欠くことがないテーマですが、**適用されるルールが複雑で注意を要します**。

● 蒸気船ウィリーの著作権

『蒸気船ウィリー』の冒頭部分より。1928年11月18日にアメリカ合衆国で公開されたディズニー制作の短編アニメーション作品だが、アメリカで公開から95年が過ぎた昨年末に著作権の保護期間が切れ、アメリカにおいては2024年1月1日より、パブリックドメインとなった。ただし、対象は初代版のみであり、かつ別途商標権等の権利が存在するため、「完全に」自由に利用できるわけではない

● 著作権保護の例外とその概要※

例外となる条文	その概要
無名変名の著作物 著52条	無名・変名の著作者についてはいつ死亡したのか知ることが困難。そこで、原則として、公表後70年を経過するまで存続する
団体名義の著作物 著53条	例として法人名義の著作物が挙げられます。原則として、公表後70年を経過するまで存続する
映画の著作物 著54条	原則として、映画の公表後70年を経過するまで存続する
継続的刊行物・逐次刊行物 著56条	たとえば、雑誌は各号の公表時が保護期間の起算点になる
戦時加算（連合国及び連合国民の著作権の特例に関する法律4条）	第二次世界大戦の間（開戦前日である昭和16年12月7日からサンフランシスコ平和条約締結日（＝英米仏加豪は昭和27年4月28日）の前日まで）の3794日が加算される

※ その他、条約による相互主義の例外 著58条 、旧著作権法下での既得権保護の例外 旧法 附則7条 がある

まとめ

□ 原則として創作時から死後70年までの間が保護期間である
□ いくつかの例外があるので注意が必要となる

著作隣接権の内容と
その権利が認められる者

● 著作物の創作者以外にも権利が発生する場合がある

　著作物が広く流通・利用されるためには、著作物を伝達する者の役割が重要になります。そこで、著作権法は、著作物の伝達・流通に関与する者に対し、著作権とは異なる権利として**著作隣接権を、実演家、レコード製作者、放送事業者、有線放送事業者の4者に限定して付与**しました。この4者に認められる権利は右上表のとおりです。

　たとえば、世間に流通するCD音源では、楽曲を作詞作曲した著作権者のみならず、アーティスト（実演家）やレコード会社（レコード製作者）にそれぞれ著作隣接権が認められることになります。

　これら著作隣接権の中でも、実演家の著作隣接権には、ワン・チャンス主義という特別なルールが存在します。

　たとえば、俳優が映画に出演したとします。**実演家**（ここでは俳優）は、録音録画を許諾する権利を有するので自身の演技を録音録画して映画化することを認めることができます。その後、映画は、DVD化等がされることがあります。しかし、各俳優が毎回録音権・録画権を主張するとDVD化等の展開が困難になります。そこで、法律は、実演家が権利を主張できるのは、最初に著作物に収録する段階（ここでは映画）の1回だけとしました。これを**ワン・チャンス主義**といいます。そのため、俳優としては、最初の映画出演の段階でDVD化等を見据えた契約を締結しておく必要があります。

　上記では録音権・録画権 著91条2項 を例にしましたが、放送権・有線放送権、動画の送信可能化権についても類似の規定があります 著92条2項2号 、 著92条の2第2項 。

● 著作隣接権者とその権利

著作隣接権者	権利内容
実演家 著90条の2 ～ 著95条の3	【人格権】氏名表示権、同一性保持権※
	【許諾権】録音権・録画権、放送権・有線放送権、送信可能化権、譲渡権、貸与権
レコード製作者 著96条 ～ 著97条の3	【許諾権】複製権、送信可能化権、譲渡権、貸与権、CD等の（有線）放送・貸与への報酬請求権
放送事業者 著98条 ～ 著100条	【許諾権】複製権、再放送権・有線放送権、送信可能化権、TV放送の伝達権
有線放送事業者 著100条の2～5	【許諾権】複製権、放送権、再有線放送権、送信可能化権、有線TV放送の伝達権

※ 実演は、創作同様に実演家の個性が強く現されることから（準創作的であることから）著作者人格権と類似の実演家人格権が認められている。しかし、公表権がないこと、同一性保持権は要件が異なり「名誉声望を害する改変」が必要であること等の違いがある

● CD音源に含まれる様々な権利の例

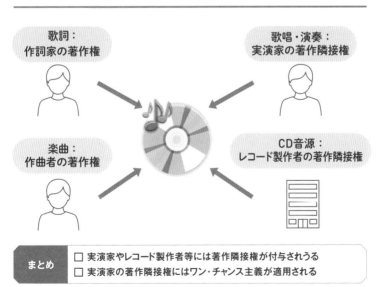

歌詞：
作詞家の著作権

歌唱・演奏：
実演家の著作隣接権

楽曲：
作曲者の著作権

CD音源：
レコード製作者の著作隣接権

まとめ	□ 実演家やレコード製作者等には著作隣接権が付与されうる □ 実演家の著作隣接権にはワン・チャンス主義が適用される

所有権と著作権の違い

　所有権と著作権とは、その権利を権利者に独占させるという点では共通しますが、権利の対象や内容・保護期間・権利者が請求できることなど様々な相違点があります。

　まず、所有権は物を自由に使用・収益・処分する権利であり、物理的に空間の一部を占める有体物を対象とした権利です。保護期間はなく、その物が存在する限り、権利者が変わったとしても所有権が消滅することはありません。

　一方で、著作権は著作物の利用権であり、情報という無体物を対象とした権利です。現行法における保護期間は、著作者の死後70年間であり、保護期間経過後、その著作物はパブリックドメインとなって誰もが利用できるようになります。

　たとえば、あなたが今手にしているこの本について、あなたが所有権を有しているとしても、この本に書かれている文章や図といった情報の著作権は、この文章や図を書いた私たち著作者に帰属します。そのため、あなたは所有権に基づき、この本を自由に譲渡・転売・廃棄できますが、著作権に基づく利用行為として、本の内容を勝手にネット上にアップロードすることは、原則として許されません。

　また、所有権と著作権の違いが明確に論じられた判例として、顔真卿自書告身帖事件があります。この事件では、顔真卿の作品を所有する博物館が、その作品の写真を利用した本の出版社に対して、作品の所有権（使用・収益する権利）侵害を理由に出版の差止めを求めました。これに対して、最高裁判所は、所有権は有体物を対象とした権利であり、作品の画像という情報の利用について及ぶものではないとして、所有権侵害を否定しました。

Part

2

著作権の基礎知識

著作権法で保護される
権利を理解する

著作権法で保護される権利は
どのような内容か

● 著作権法で保護される権利は「権利の束」である

　著作権法で保護される権利は大きく、**著作者の権利と著作隣接権**に分けられます（右図参照）。

　著作者の権利は、さらに**著作権と著作者人格権**に分けることができます。著作権は財産的権利であるため、第三者に譲渡したり、利用許諾（ライセンス、P.76 参照）したりできる、取引の対象となりうる権利です。著作者人格権との対比で著作財産権と呼ばれることもあります。一方、著作者人格権は、著作者に一身専属的に帰属する権利であり、その性質上譲渡をすることができません。

　次に、著作隣接権は、著作権法が著作者・著作権者とは別に特別の政策的保護を与える者ごとに与えられた権利です。**著作隣接権を有する者は、実演家、レコード製作者、放送事業者、有線放送事業者**となります。このうち実演家については、**実演家人格権**という著作者人格権と同様の一身専属的な権利も認められています。

　以上を整理したのが右図です。ここで大事なのは「著作権」「著作者人格権」「著作隣接権」というそれぞれ一つの権利があるわけではないことです。これらの権利のいずれも、利用態様等に応じて定められた一つ一つの権利の総称という位置づけになります。

　このように様々な権利が存在することから、著作権法で保護される権利は、「権利の束」であると説明されることがあります。

　本章では、著作者の権利、つまり著作権と著作者人格権の解説が中心となりますが、まずはこの全体像を理解することが有益であるため、わからなくなったときはこのページに戻ってみてください。

● 著作権法で保護される権利

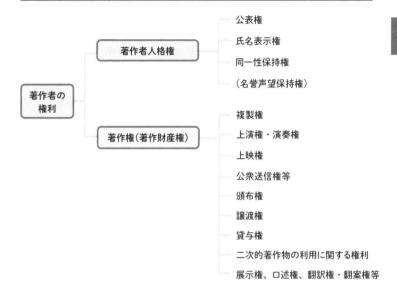

- 著作者の権利
  - 著作者人格権
    - 公表権
    - 氏名表示権
    - 同一性保持権
    - (名誉声望保持権)
  - 著作権(著作財産権)
    - 複製権
    - 上演権・演奏権
    - 上映権
    - 公衆送信権等
    - 頒布権
    - 譲渡権
    - 貸与権
    - 二次的著作物の利用に関する権利
    - 展示権、口述権、翻訳権・翻案権等

- 著作隣接権 →P.26
  - 実演家の権利
  - レコード製作者の権利
  - 放送事業者の権利
  - 有線放送事業者の権利

※注 著作権法上、著作者の財産権としての権利を「著作権」というが、一般的には、著作者人格権も含めた著作者の権利全体や、著作隣接権も含めた著作権法上の権利全体を指して「著作権」という場合もある

まとめ

☐ 著作権法は、著作権・著作者人格権・著作隣接権を定める法律
☐ 著作権法が定める権利は、「権利の束」になっている

著作権① 著作物の法定利用行為と著作権の代表例である「複製権」

● 著作物の利用は法定利用行為ごとに検討する

著作権とは、著作物を独占して利用することができる権利です。言い換えると、第三者に対して著作物の利用を禁止することができる権利（**禁止権**）といえます。著作権者は、著作権に含まれる個別の権利（P.31参照）に基づいて、自身の著作物を第三者がコピーすることを禁止したり（**複製権**）、演奏することを禁止したり（**演奏権**）、インターネット上へのアップロードを禁止できます（**公衆送信権**）。

このような著作権に基づく利用行為を**法定利用行為**と呼ぶことがあり、一連の行為が複数の法定利用行為に該当することもあります（右上図参照）。

英語で著作権は Copyright というように、「複製権（コピー禁止権）」は著作権の核となる権利です。「複製」とは、「印刷、写真、複写、録音、録画その他の方法により有形的に再製すること」 `著2条1項15号` と定められています。たとえば、コピー機を使って紙に複写することやパソコン内のハードディスクへ音楽ファイルをダウンロードすることは「複製」に該当します。一方で、スクリーンへの映写や絵画の原画をそのまま展示することは複製ではありません。

また、複製は表現手段が異なっていても複製になります。たとえば、平面のイラストをもとに立体的なフィギュアを作成する行為や、小説を音読して録音する行為も複製になります。

さらに、アーティストのライブパフォーマンスなど有体物に固定されていない著作物であっても、ビデオカメラ等の有体物に録画したり、アーカイブによりサーバに固定された場合には、複製になります。

書籍出版される著作物における複数の法定利用行為

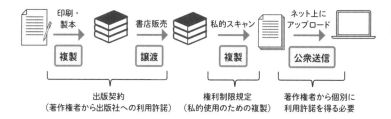

印刷・製本 → 複製 → 書店販売 → 譲渡 → 私的スキャン → 複製 → ネット上にアップロード → 公衆送信

出版契約
（著作権者から出版社への利用許諾）

権利制限規定
（私的使用のための複製）

著作権者から個別に
利用許諾を得る必要

複製への該当

複製に該当する例

- コピー機を使った書籍の複写（紙への複製）
- 演劇の撮影（DVD等への複製）
- パソコン内のハードディスクへ音楽ファイルをダウンロード（ハードディスク等記録媒体への複製）
- 撮影したライブ動画のアップロード（サーバへの複製）
- 設計図に従って建築物を完成

※注　表現手段が変更されていても複製となる

複製に該当しない例

- 書籍の朗読
- 演劇そのもの
- テレビ、ラジオ放送を受信して視聴
- 配信されている音楽や動画をストリーミング再生（ダウンロードせずに再生）
- アーカイブを残さない動画のライブ配信
- 動画のスクリーンへの映写

※注　複製以外の利用に該当するものもある

演劇・建築に関する特別な規定 著2条1項15号イロ

以下の行為は元の著作物と表現手段が変更されているが、複製に該当し、著作権侵害行為となる

元の著作物	行為	何の複製か
脚本その他これに類する演劇用の著作物	演劇用の著作物（脚本）に従って上演・放送・有線放送	演劇用の著作物の複製
建築に関する図面（設計図等）	図面に従って建築物を完成	建築の著作物の複製

まとめ
- □ 著作物の代表的な利用行為が「複製」である
- □ 表現手段が異なっても複製になる

著作権② 上演、演奏、公衆送信等を可能とする著作物の「提示」の類型

◉ 著作物の提示は、有体物を介さずに著作物を享受させる類型

著作物の法定利用行為には、「複製（P.32 参照）」以外に「提示」「提供」と呼ばれる類型に分けられます。本節で紹介する**著作物の「提示」**とは、有体物（原作品・複製物）を介することなく著作物へのアクセスを可能にする行為類型です。具体的には、**上演・演奏、上映、口述、展示、伝達**が公衆に対面で提示する権利、**公衆送信**は公衆に送信する権利です（右上表参照）。

このうち、公衆送信 **著2条1項7号の2** とは、公衆によって直接受信されることを目的としてなされる送信であり、公衆送信権は、送信行為の前段階であるサーバへのアップロード行為（「送信可能化」という）にも及びます **著23条1項**。公衆送信権は**アップロード禁止権**ともいえる、デジタル社会を支える重要な権利です。

公衆送信という言葉に含まれる「公衆」には、「特定かつ多数の者を含むものとする」という特別の定義規定が置かれています。これは不特定者であれば多数・少数の区別なく「公衆」にあたることを前提としたうえで、「特定」の者であっても「多数」であれば「公衆」にあたることを明示したものです（特定少数者のみが「公衆」非該当となる。右下表参照）。

この「公衆」概念の定義によれば、不特定者が誰でもアクセスできるインターネットはもちろんのこと、特定ながらも多数の者が受信できる社内イントラネットへのアップロードは「公衆送信」に該当します。その一方で、特定少数者に対して送信される電子メールは「公衆送信」に該当しません。

● 著作物の「提示」行為一覧

利用行為	具体例
上演・演奏 (著22条)	ミュージカルを公に演じる行為、音楽を公に演奏する行為（公衆送信または上映に該当するものは除く）
上映 (著22条の2)	映画や静止画等の著作物を公にスクリーン等に映写する行為
公衆送信・公衆伝達 (著23条)	公衆送信：不特定多数人が閲覧可能なインターネット上への著作物のアップロードする行為
	公衆伝達：動画配信サービスに投稿された動画を不特定多数人が見られるようスクリーン等に映写する行為
口述 (著24条)	講演や授業等において書物を朗読する行為
展示 (著25条)	美術館で絵画を公に展示する行為

● 公衆送信の分類

	特定	不特定
少数	公衆「非該当」	公衆
多数	公衆 (著2条5項)	

著作権法では「特定の者」であっても、多数の者であれば「公衆」にあたる

まとめ	□ 著作物の提示には様々な種類の権利がある □ 送信可能化にも公衆送信権が及ぶ

著作権③ 著作物の「提供」類型の 3パターン 頒布、譲渡、貸与

◉ 著作物が化体した物の占有が移転する類型

著作物の法定利用行為の最後の類型が、**著作物の「提供」**です。著作物の「提供」とは、著作物が化体した物（有体物）の占有が移転することで著作物へのアクセスを可能にする行為類型です。具体的には、①**頒布**、②**譲渡**及び③**貸与**です（右上表参照）。

頒布権は、主として映画の著作物を対象とする権利です。頒布とは、著作物の複製物を公衆に譲渡または貸与することをいい、映画の場合は、映画そのものやこれに含まれる音楽等を公衆に提示（≒上映）することを目的に、複製物（≒映画フィルム）を譲渡または貸与することを指します 著2条1項19号。なお、著作権法上の整理では、映画の著作物にはゲーム作品も含まれます。

譲渡権と**貸与権**は、映画の著作物以外の著作物を対象とする権利です。譲渡と貸与どちらも、物の占有が著作権者から移転する点が共通しますが、譲渡の場合には物の所有権も同時に移転する一方、貸与権では所有権は著作権者のもとに残ります。

例として、ある画家が、自身が描いた絵画のポスターを手渡す場面を想定します。**ポスターを譲る意思であれば所有権も移転する「譲渡」、返してもらう意思であれば所有権は移転しない「貸与」**にあたります。譲渡の場合も、移転する対象はあくまでポスターという「物」の所有権であり、絵画の著作権を移転するものではない点には注意しましょう（右中図参照）。

その他、これら提供類型には「**消尽**」と呼ばれる権利の限界が問題となります（右下表参照）。

● 頒布権・譲渡権・貸与権の相違

利用行為	権利の客体	具体例
①頒布権 著26条	映画の著作物(ゲームを含みます)・映画の著作物の中で複製されている著作物(音楽・美術)	劇場で上映することを目的に、映画館に映画フィルムを譲渡し、または貸与する
②譲渡権 著26条の2	映画以外の著作物	イラストが描かれたポスターを売り渡す行為
③貸与権 著26条の3	映画以外の著作物	レンタルショップで音楽が収録されたCDを貸し出す行為

● 譲渡権・貸与権の違い

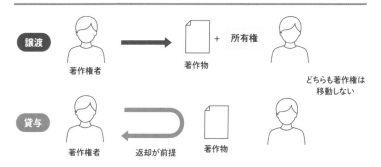

譲渡 著作権者 → 著作物 + 所有権

どちらも著作権は移動しない

貸与 著作権者 返却が前提 著作物

● 頒布権・譲渡権・貸与権と消尽の有無

権利の消尽とは、一度適法に譲渡(市場に流通)された真正商品について、以後、当該商品について権利を行使できなくなること

頒布権	譲渡権	貸与権
・劇場用映画フィルムは消尽しない ・一般観賞用パッケージメディア (DVD、Blu-ray)は消尽する	・消尽する 著26条の2第2項	・消尽しない

まとめ	□ 「著作物の提供」には大きく、頒布・譲渡・貸与の3パターンがある □ 著作物の提供を行ったり受ける際には、頒布・譲渡・貸与の相違点を押さえておく

著作物の種類と
プログラムの著作物

●プログラムの著作物はプログラムコードに発生する権利

　著作権法上保護される著作物には様々な種類があり、**著作権法10条は、これら著作物の種類を例示的に列挙しています**（右上表参照）。本節ではこのうちの、プログラムの著作物について解説します。

　著作権法上「**プログラム」とは、電子計算機を機能させて一つの結果を得ることができるようにこれに対する指令を組み合わせて表現したもの**を指します 著2条1項10号の2 。そして、これらプログラムのうち、その**司令の組み合わせに創作性が認められるものが「プログラムの著作物」**として保護されます。

　プログラムの著作物に対する著作権法上の保護は、プログラム言語、規約、解法には及びません 著10条3項各号 。これらはそれぞれ、プログラムを表現するためのツール、ルール、アイディアに属するものであって表現それ自体ではないためです。

　このうち解法とは「プログラムにおける電子計算機に対する司令の組合せの方法」です 同3号 。プログラムが特定の問題・課題を処理するための論理的な手順（アルゴリズム）は「解法」にあたり著作権法上の保護を受けません。アルゴリズムが発明に該当する場合には、別途特許法上の保護を受けることとなりますが、著作権法上の保護の対象となるのは、あくまで当該アルゴリズムを表現化したプログラムコードとなります。そのため、同じアルゴリズムを実現するために、異なるプログラムコードによりこれを表現した場合には、元のアルゴリズムを実現するプログラムコードの著作権侵害とはなりません（右下図参照）。

● 著作物の種類の例示 (著10条)

著作物の種類	具体例
言語の著作物	小説、脚本、論文、講演等
音楽の著作物	歌詞、楽曲等
舞踊の著作物	ダンスやパントマイム等の振り付け等
美術の著作物	絵画、版画、彫刻等。応用美術が著作物に該当するかという論点がある(P.44参照)
建築の著作物	宮殿や凱旋門等。建売住宅等は非該当
図形の著作物	地図、学術的な図面、図表、模型等
映画の著作物	劇場用映画、ゲームソフト等。著作者のルール等に特殊性がある(P.36参照)
写真の著作物	フィルム写真、デジタル写真
プログラムの著作物	プログラムコード

● 同一アルゴリズムであってもコードが違えば著作権侵害ではない

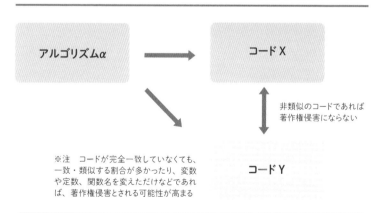

アルゴリズムα → コードX

非類似のコードであれば
著作権侵害にならない

※注　コードが完全一致していなくても、
一致・類似する割合が多かったり、変数
や定数、関数名を変えただけなどであれ
ば、著作権侵害とされる可能性が高まる

コードY

まとめ	□ 著作権法10条は著作物の種類を例示列挙している □ プログラムの著作権はプログラム言語、規約、解法に及ばない

「編集著作物」と
「データベース著作物」

● コンテンツに創作性がなくてもよい、特殊な著作物

　編集著作物とは、編集物（データベースを除く）でその**素材の選択または配列によって創作性を有するもの**をいいます 著12条1項 。編集物を構成する素材は著作物である必要はありません。電話帳のように事実を素材として編集したものも、その選択または配列に創作性があれば、編集著作物として保護されます。一方で、企画や編集方針、編集方法は保護の対象ではありません。そのため、素材の収集に労力や資力を費やしても、素材の選択や配列がありふれたものであれば創作性の要件を満たさず、著作物として保護されません。

　データベースとは「論文、数値、図形その他の情報の集合物であって、それらの情報を電子計算機を用いて検索することができるように体系的に構成したもの」です 著2条1項10号の3 。著作権法は「データベースでその情報の選択又は体系的な構成によって創作性を有するものは、著作物として保護する」と規定しています 著12条の2第1項 。**データベースの著作物**として保護されるためには、**情報の選択または体系的な構成のいずれかに創作性が認められる**必要があります。タウンページDB事件（東京地裁平成12年3月17日判決）では、職業分類体系によって電話番号情報を分類した点に体系的構成な構成としての創作性を有すると判断されました。

　編集物・データベースを構成する素材が著作物である場合は、その著作権者の許諾を得なければ利用できません。同様に、素材が著作物である編集著作物等を利用する者は、編集著作物と素材の著作権者それぞれの許諾を得る必要があります 著12条2項 及び 著12条の2第2項 。

● 編集著作物のイメージとポイント

編集物のうち、素材の選択または配列に創作性が認められるものが「編集著作物」となる

編集物

- 編集物に含まれる素材は著作物でも非著作物でもよい
- ただし、素材が著作物である場合には、編集物への収録（複製）等に素材の著作権者の許諾必要

編集著作物
素材の選択または
配列に創作性あり

● データベース著作物のイメージとポイント

データベースのうち、情報の選択または体系的構成に創作性が認められるものが「データベース著作物」
となる

データベース

- データベースに含まれる情報は著作物でも非著作物でもよい
- ただし、情報が著作物である場合には、データベースへの収載（複製）等に素材の著作権者の許諾必要

データベース著作物
情報の選択または
体系的構成に創作性あり

まとめ

- ☐ 編集著作物の要件は、素材の選択または配列に創作性があること
- ☐ データベースの著作物の要件は、情報の選択または体系的な構成のいずれかに創作性があること
- ☐ 編集著作物・データベースの著作物は共に、素材が著作物である場合、利用に際し、素材の著作権者の許諾も必要である

「出版権」は著作物の利用を
排他的に行う権利

● 著作権法上認められる特別な利用権制度

著作権に含まれる権利そのものではありませんが、**著作物に関する特別な利用権として出版権**があります。歴史的に出版が著作物の伝達に重要な行為であることから、出版権は、通常の著作物の利用許諾（P.76 参照）とは異なる、「出版」に関する排他的な利用許諾権という性質を有します。電子書籍の普及を受けた法改正もあり、今では出版権に電子出版も含まれます。

出版権とは、出版権の目的である著作物について、**頒布目的での複製または公衆送信を排他的に行う権利**です〔著80条〕。出版社は、譲渡や利用許諾を受けることもありますが、多くの場合、作家から出版権の設定を受けて書籍・電子書籍を出版しています（右上図❷参照）。

出版権は契約により出版権を設定することで発生します。一般に「出版契約」と呼ばれるのは、この出版権設定契約です。契約の内容が出版権の設定であることを明示しなければ、単なる著作物の利用許諾と解釈される可能性があるために注意が必要です。

出版権は排他的な権利であることから、出版権者は、自ら、第三者が出版権の目的となる著作物を出版権者に無断で複製または公衆送信することを差し止め、また損害賠償を請求することができます。**出版社が海賊版の差し止め等を求める根拠は出版権**です（右下図参照）。

出版権設定契約の内容については、一般社団法人日本書籍出版協会が出版権設定契約の雛形を公開しており、実務上も同雛形を踏まえた契約が多く見られます。

◉ 著作者と出版社の権利関係

著作者と出版社との権利関係も一様ではなく、大きく以下の3種類に分けられる

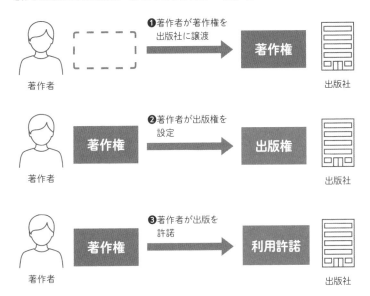

◉ 出版権の行使

出版社は、排他的権利である出版権に基づいて、自らネット上の海賊版等の差し止めを求めることができる

まとめ	☐ 出版権は著作権法上認められる特別な利用権制度
	☐ 排他的な利用権のため、第三者による利用を差止められる

美術の著作物の保護範囲

● 応用美術も一定の場合には美術の著作物として保護される

　美術はしばしば著作権法の核たる保護対象と考えられています。しかし、**美術**には、絵画や彫刻などのようにもっぱら美的鑑賞を目的として創作される**純粋美術**（fine art）のほか、美術を実用品に応用した**応用美術**（applied art）があります。応用美術は、壺や壁掛けなどの一品制作の**美的実用品**（美術工芸品）と家具・家電のような**量産品**のデザインとに分けられます（右上図参照）。

　純粋美術と美術工芸品は美術の著作物に含まれます 著2条2項 。一方、量産品のデザインが美術の著作物に含まれるかは明文の規定がありません。通常、デザインの保護は意匠法の保護範囲であることから、**量産品を中心に、応用美術が著作物として保護されるかについて考え方が分かれています**。一つは、応用美術が著作物として保護を受けるためには、表現に創作性が認められるだけでは足りず、付加的な要素を必要とする、という考え方です。付加的な要素として、「純粋美術と同視しうる程度の美的鑑賞性を備えること」や、「実用部分から独立して美的鑑賞の対象となることを必要とする」などの考え方があります。

　他方の考え方は、付加的な要素を必要とせず、他の著作物と同様に、著作物性の要件である表現上の創作性を備えていれば応用美術も著作物として認める考え方（非制限説）です。

　従来、裁判例は純粋美術同視説に立つものと整理されていましたが、近年、非制限説（創作的表現説）に立つ裁判例や、独立美的鑑賞説に立つ裁判例が現れ、様々な議論がなされています。

● 美術をめぐる概念整理

美術は大きく純粋美術と応用美術に分けられ、量産品を中心に、応用美術が著作物として著作権法上の保護を受けるか、しばしば裁判で争われる。

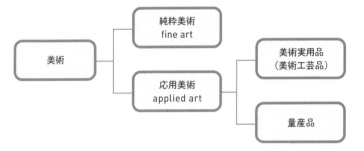

● 応用美術の著作物性

応用美術として認められた例

幼児用椅子※1　　　　照明用シェード※2

応用美術として認められなかった例

スティック型加湿器※3　　布団の絵柄※4

※1 知財高裁 平成27年4月14日判決(TRIPP TRAPP事件)、
　　https://www.courts.go.jp/app/files/hanrei_jp/044/085044_hanrei.pdf
※2 東京地裁 令和2年1月29日判決(フラワーシェード事件)、
　　https://www.courts.go.jp/app/files/hanrei_jp/503/089503_hanrei.pdf
※3 知財高裁 平成28年11月30日判決、https://www.courts.go.jp/app/files/hanrei_jp/320/086320_hanrei.pdf
※4 大阪高裁 令和5年4月27日判決、https://www.courts.go.jp/app/files/hanrei_jp/073/092073_hanrei.pdf

まとめ	□ 美術は純粋美術と応用美術とがある □ 応用美術の著作物性についての考え方が分かれている

コピーライト表記は不要？

　本やキャラクターグッズ、ウェブサイト等で、「©」というマークを見かけたことがある人は多いでしょう。この©マークは、コピーライト表記といい、万国著作権条約で定められたマークです。日本の著作権法では、©マークがなくとも、著作物は保護されます。

　従来、©マークは、著作権保護の条件として著作権の登録が必要となる「方式主義」の国と、著作権の登録が不要な「無方式主義（P.12参照）」の国の架け橋となるものといわれてきました。すなわち、無方式主義の国において創作された著作物であったとしても、©マークを適切な方法で、適切な場所に掲げていれば、それ以上の手続きを経なくても、方式主義においても保護されてきたのです。

　ただし、現在では、アメリカ合衆国をはじめとする多数の国が無方式主義のベルヌ条約等に加盟しているため、©マークがなくとも著作権が保護されることがほとんどです。したがって、方式主義と無方式主義の架け橋という意味での©マークの重要性は低くなっているといえます。

　もっとも、©マークに存在意義がなくなったのかというと、そんなことはありません。公表年や著作権者名を併せて表示することにより、著作権や著作権者の存在を明確に示し、無断転載等の著作権侵害行為を抑止する効果があります。

　©マークの意味や表記の仕方を理解し、抑止力として上手に活用しましょう。

Part

3

著作権に開いた穴

権利制限規定を
使いこなす

公正な利用促進のための
「権利制限規定」とは

● 著作権には公正な利用促進の観点から用意された「穴」

　著作権とは著作物を独占して利用するための権利です。また、著作権者は著作権を有する者を意味します。したがって、原則として、著作権者から許諾を得ない限り、著作権者しか著作物を利用することができません。

　ただし、著作権法は、単に著作権の保護だけでなく、**著作物の公正な利用を促進することも目的**としています 著1条 。そのため、公正な利用等との調和の観点から、著作権法は、著作権を完全な独占権とはせず、**一定の場面で効力が制限されるような「穴」**を設けました。

　著作権法上、著作権の効力に穴が開く場面は、すべて著作権法の規定に列挙されています。そしてこれらの規定を「**権利制限規定**」と呼びます。

　たとえば、テレビ番組を録画した経験がある人は多いでしょう。本来であれば、テレビ番組を録画する行為は、複製 著21条 にあたり、著作権者の許諾を得なければ著作権侵害となります。もっとも、著作権法には私的使用目的のための複製には著作権の効力が及ばないとする権利制限規定があります（私的使用目的複製 著30条 ）。この権利制限規定があるおかげで、形式的には著作権侵害に該当しうるテレビ番組の録画行為に著作権の効力が及ばず、その結果、私たちは、家庭内での利用などの私的使用目的のために、適法にテレビ番組を録画することができています。

　著作権法上の権利制限規定は多岐にわたります。本章ではその中でも基本的かつ重要なものにフォーカスし、紹介していきます。

● 著作権には穴が空いている（権利制限規定のイメージ）

例：複製権

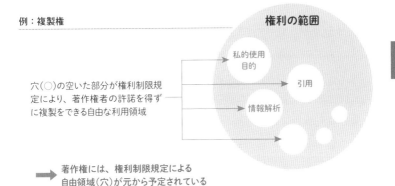

穴（○）の空いた部分が権利制限規定により、著作権者の許諾を得ずに複製をできる自由な利用領域

権利の範囲

私的使用目的

引用

情報解析

➡ 著作権には、権利制限規定による自由領域（穴）が元から予定されている

● 主な権利制限規定一覧

規定	具体例	詳細
私的使用複製 著30条	私的鑑賞目的で写真をコピー	P.52
付随対象著作物の利用 著30条の2	集合写真の服に著作物が映り込んでいた	P.54
検討過程での利用 著30条の3	デザインの依頼を予定している作家の著作物を会議資料のために複製	P.62
図書館等における複製 著31条	図書館で文献をコピー	P.56
引用 著32条	批評目的で他人の著作物を複製	P.58、60
電子計算機における付随利用 著47条の4	コンピュータにおけるキャッシュ保存	P.50
電子計算機における軽微利用 著47条の5	検索エンジン提供、解析結果提供	P.110

まとめ
- [ ] 著作権は、一定の場面で、公正な利用促進の観点から制限される
- [ ] 制限される場面は、権利制限規定として著作権法に列挙されている

権利制限規定における
3つのカテゴリとその根拠

> ◉ **非享受利用類型・軽微利用類型・政策的に許容される類型**

　著作権の保護と利用との調整を図る権利制限規定は、著作権者に及ぶ不利益の大小に比例して、3つに分けられます（右上図参照）。

　まず、❶**著作権者の利益に通常抵触しない行為**を対象とした権利制限規定です。たとえば、AIによる深層学習を行う場合等、著作物に表現された思想または感情の享受を目的としない利用　著30条の4　や、コンピュータが情報を処理する際の付随的に生じる著作物の複製等（キャッシュ等）　著47条の4　です。これらの行為がされたとしても、当該著作物の内容を人間が直接見られるようになるわけではないため、原則として著作権者の利益は通常害されないといえるためです。

　次に、❷**著作権者に生じうる不利益が軽微な行為**を対象とした権利制限規定です。たとえば、検索エンジンにおける検索結果に、ウェブサイトの著作物が一部表示(スニペット)される複製等　著47条の5　です。こうした著作物の複製は、質・量ともに限定的な軽微な利用行為であり、著作権者の利益を害することは多くないためです。

　最後に、❸**著作権者の利益を害する可能性があるものの、政策的に利用の促進を行うべき行為**を対象とした権利制限規定です。たとえば、批評目的で第三者の著作物を複製すると、著作物が直接人の目に触れることになり、著作権者の利益を害する可能性があります。しかしながら、批評を促進することで文化がより発展するという著作物の公正な利用促進の観点から、一定範囲の引用が認められます　著32条　。

● 権利制限規定の分類図

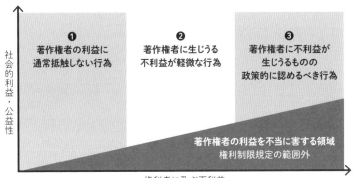

● 権利制限規定の3つのカテゴリ

例：大量の画像データを
AIに学習させる

例：検索結果としての
スニペット表示

出典：Google検索

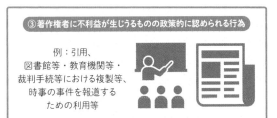

③著作権者に不利益が生じうるものの政策的に認められる行為

例：引用、
図書館等・教育機関等・
裁判手続等における複製等、
時事の事件を報道する
ための利用等

まとめ	□ 権利制限規定には様々な種類がある
	□ 権利制限が認められる場合は各規定で異なる

もっとも身近な権利制限規定
「私的使用目的の複製」

● 「私的使用目的」はどこまで認められるか

　著作物は、著作物を使用する者が「**個人的にまたは家庭内その他
これに準ずる限られた範囲内において使用すること（以下「私的使
用」という）を目的とするとき**」は、著作権者の許諾なく複製する
ことができます `著30条1項本文`。

　本条による権利制限が認められているのは、個人・数人単位での
使用であれば著作権者の利益を害する程度が低いと判断されている
ためです。複製が認められている範囲が、「個人的にまたは家庭内」
となっているのは、複製物を利用する人数が1人から1世帯内程度
に収まることを前提としています。上記を踏まえ、「これに準ずる限
られた範囲内」も、多くても10人程度と解釈されています。

　ただし、企業内における利用は、人数にかかわらず私的使用には
該当しないとされているため、会議資料として書籍をコピーする、
PDF化する等して配布するなどの行為は、著作権違反に該当し、注
意が必要です。また、私的使用目的であっても、以下に該当する場
合には例外的に複製が認められません `著30条1項各号`。

- 公衆利用目的で設置されている複製機を用いた複製
- コピーガードを回避して複製する場合
- 著作権を侵害する形でインターネットにアップロードされた著
  作物を、著作権侵害と知りながら録音・録画・ダウンロードす
  る場合

　これらは、著作権者に与える不利益が大きいと考えられることか
ら、権利制限規定の範囲外とされているものです。

◉ 「私的使用目的」として複製が認められるケース

個人で鑑賞する目的でテレビを録画

数人単位のバンドで演奏するために
楽譜をコピー

Part
3

権利制限規定を使いこなす

◉ 「私的使用目的」として複製が認められないケース

企業内での利用
（少人数でも「私的」使用目的ではない）

SNSのアイコンに利用
（「私的使用目的」だとしても「複製」ではない）

「私的使用目的」であっても以下の場合は複製ができない

複製できないシーン	根拠
公衆利用目的で設置されている複製機を用いた複製	著作権法 30 条 1 項 1 号※
コピーガードを回避して複製	著作権法 30 条 1 項 2 号
著作権を侵害したネット上の著作物を、著作権侵害と知りながら録音・録画・ダウンロード	著作権法 30 条 1 項 3 号 4 号

※ もっぱら文書または図画の複製に供するもの（コンビニのコイン式コピー機）であれば、当分の間例外的に利用可能

まとめ	□ 個人・数人単位での使用を目的とする場合、複製ができる □ 一定の場合、私的利用目的であっても複製ができない

写り込み等は「付随対象著作物の利用」として認められている

▶ 写真・動画撮影等に写り込んだ著作物の権利処理

写真や動画を撮影すると、他人の著作物が写真や動画に写り込むことがあります。たとえば、街を歩きながら動画撮影するとき、人々の服のキャラクターデザインや、店舗の看板に描かれたイラスト、街中で流れている音楽が、動画内に記録されることがあります。このように、写真や動画内に意図しない形で他人の著作物が含まれることを、**「著作物の写り込み」**といいます（右上図参照）。

著作物の写り込みが生じた場合、形式的には、他人のキャラクター等の著作物が写真や動画に複製されるので、著作権侵害となります。しかし、こうした複製が逐一著作権侵害に該当するとなると、侵害を回避するために被写体に他人の著作物が写り込まないように配慮しなければならず、非常に煩雑となります。

そこで、著作権法では、写真や動画のように物の映像や音を記録し、または同時中継（ライブ配信等）をする際、写り込む他人の著作物（付随対象著作物）が**写真・動画全体からみて軽微な構成部分である場合には、正当な範囲内で利用することができる**とされています（著30条の2第1項）。この規定は、著作権者に生じる不利益が小さいために認められた権利制限規定といえます。

著作権法30条の2に基づいて著作物を利用するためには、❶付随対象著作物が「軽微な構成部分」であることに加え、❷**付随対象著作物の利用が正当な範囲内であるといえることが必要**です。❶と❷の該当性を判断するにあたり、どのような要素が考慮されるかは、右下の表にまとめています。

▶「写り込み」の規定が使える場面

街中にいる人を写真撮影し、服のキャラクターや店舗の看板に映るイラストが写真に複製される例

街中で流れている音楽が、動画内に複製される例

▶ 付随対象著作物の利用が認められる要件

❶「軽微な構成部分」といえるかの考慮要素

要件	説明
写真・動画等の全体に対する付随対象著作物の割合	割合が小さければ、軽微な構成部分とされやすい
写真・動画等における再製の程度	画質・音質が荒い、一部しか複製されていない等であれば、軽微な構成部分とされやすい

❷「正当な範囲内」といえるかの考慮要素

要件	説明
付随対象著作物の利用により利益を得る目的の有無	営利目的であれば、利用が認められない可能性が高まる
付随対象著作物を写真・動画等から分離することが困難かどうか	被写体の服や街中の BGM 等は、複製されないように撮影することが難しく、分離が困難であるとされやすい。簡単に分離できるのであれば、利用が認められない可能性が高まる

まとめ	☐ 写真や動画に他人の著作物が入り込んでも、著作権侵害とならない場合がある ☐ 著作権侵害となるかどうかは様々な要素から決定される

OOOSHOP

図書館等の蔵書のコピーは認められている

● 図書館における複製の認められる範囲と電子的な送信

　図書館にコピー機が置かれているのを見た方もいるでしょうし、実際にコピーをして持ち帰ったことがある方もいるでしょう。実は、これも著作権法に規定があるケースです。

　図書館では、利用者の求めに応じ公表された著作物の一部分の複製物を一人につき一部提供することが認められています 著31条1項1号。これを受けて、多くの図書館では、コピー機を設置し、一冊の本の半分を限度にコピーすること、そのほか、資料保存のための複製 著31条1項2号 、図書館に対する絶版本・資料の共有のための複製 著31条1項3号 が認められています。

　国立国会図書館では、絶版となった本・資料について、その全部を利用者に直接公衆送信することが認められています 著31条7項。従来は、図書館に対しての送信しか認められておらず、利用者は最寄りの図書館でしか絶版本・資料を閲覧することができませんでしたが、令和3年の著作権法改正により、利用者への直接送信が認められました。

　また、**同改正では、一定の設備・人員を備えた図書館（特定図書館）で、公表された著作物の一部分をメール等で送信することが認められました** 著31条2項。ただし、**公衆送信を行う場合には、著作権者に補償金を支払う必要があります。**

● 図書館における複製（令和3年著作権法改正のポイント）

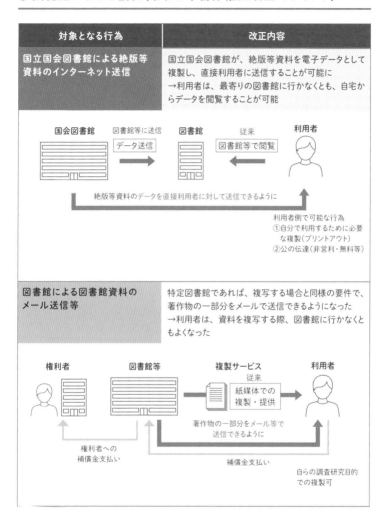

対象となる行為	改正内容
国立国会図書館による絶版等資料のインターネット送信	国立国会図書館が、絶版等資料を電子データとして複製し、直接利用者に送信することが可能に →利用者は、最寄りの図書館に行かなくとも、自宅からデータを閲覧することが可能

国会図書館　図書館等に送信　図書館　従来　利用者
データ送信　図書館等で閲覧

絶版等資料のデータを直接利用者に対して送信できるように

利用者側で可能な行為
①自分で利用するために必要な複製（プリントアウト）
②公の伝達（非営利・無料等）

対象となる行為	改正内容
図書館による図書館資料のメール送信等	特定図書館であれば、複写する場合と同様の要件で、著作物の一部分をメールで送信できるようになった →利用者は、資料を複写する際、図書館に行かなくともよくなった

権利者　図書館等　複製サービス　利用者
従来
紙媒体での複製・提供
著作物の一部分をメール等で送信できるように
権利者への補償金支払い
補償金支払い
自らの調査研究目的での複製可

出典：文化庁「令和3年著作権改正　説明資料」
https://www.bunka.go.jp/seisaku/chosakuken/hokaisei/r03_hokaisei/
https://www.bunka.go.jp/seisaku/chosakuken/hokaisei/r03_hokaisei/pdf/93627801_02.pdf

まとめ
☐ 図書館では一定の範囲で複製・公衆送信が認められている
☐ 近年の著作権法改正で、利用者への直接送信等についても認められた

引用① 「引用による利用」と
旧来の裁判例における引用の要件

● 著作物の公正な利用促進の観点から正当な範囲内で

著作物は、報道、批評、研究等の過程で引用されることがあります。たとえば、ある文章 A を批評するためには、その一部の記述を引用（複製）して、当該記述のよい点・悪い点を指摘するのが一般的です。このような引用は文化の発展に寄与しますが、無制限に認めると著作権者の利益を不当に害します。

このため、**引用は、公表された著作物に対してのみ認められ、かつ、一定の要件を満たす必要があります**（右上図参照）。まず、「その引用は、公正な慣行に合致するものであり、かつ、報道、批評、研究その他の引用の目的上正当な範囲内で行われるものでなければならない。」とされ 著32条1項 、その出所を明示すること（引用される著作物の出典を明らかにすること）が要求されています 著48条1項1号 。

旧来の裁判例においては、以下の2つの要件が引用の要件として挙げられることが多いです。

明瞭区別性：引用される著作物とそれ以外の記載部分を明確に分ける必要がある

主従関係性：引用される著作物が従、引用部分が含まれる著作物が主である必要がある

しかし、これらの要件は、著作権法 32 条 1 項の文言とはやや異なっていることから、近年では、条文の文言に即して引用が認められるか否かが判断されるケースが増加しています。次節で詳しく見ていきます。

● 引用に関するよくある誤解

Q1. 権利者の許諾がないと引用できない?

A1. 誤り。引用は権利制限規定なので許諾を得る必要はない

Q2. 引用要件を満たしていても通知をしなければならない?

A2. 誤り。通知は要件ではない。通知をするとかえってトラブルになることも(P.68 コラム参照)

Q3.「引用します」と権利者に伝えれば適法になる?

A3. 誤り。引用の適否は引用要件により決まる。権利者からOKをもらうのは、許諾を得ているのであり、引用ではない

Q4. 出典さえ明記すれば適法に引用できる?

A4. 誤り。出典表記は引用の要件の一つだが、他の要件を「すべて」満たす必要がある

● 引用の要件(旧来の裁判例の整理)

要件	解説
明瞭区別性	引用される著作物とそれ以外の記載部分が明確に分かれている →引用部分とそれ以外の部分が混合してはいけない
主従関係性	引用される著作物が従、引用部分が含まれる著作物が主である →引用部分の量・質がそれ以外の部分を超えてはいけない

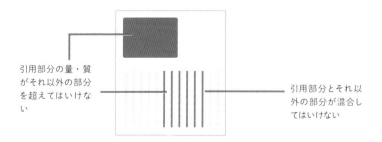

引用部分の量・質がそれ以外の部分を超えてはいけない

引用部分とそれ以外の部分が混合してはいけない

まとめ	□ 引用として著作物を利用するには一定の要件を満たす必要がある □ 引用の要件として従来議論されてきた事項は、著作権法の条文の記載とはやや異なる

引用②「公正な慣行」と「引用の目的」は個別に判断される

● 近年の裁判例における引用の要件の変遷

　近年の学説・裁判例においては、これまで引用の要件として整理されてきた明瞭区別性及び主従関係性という要件を検討せず、著作権法 32 条 1 項の文言に即した形で、

- 公正な慣行に合致するかどうか
- 引用の目的上正当な範囲内で行われているかどうか

が検討される傾向にあります。

「公正な慣行」及び「引用の目的」は、それぞれのケースごとに異なるため、一律の基準を示すことは難しいですが、裁判例においては概ね以下のような傾向にあります（代表的なケースは右図参照）。

　まず、引用として他人の著作物を利用する以上は、引用される著作物は、それ以外の部分の補助として利用される必要があり、補助としての利用にとどまっているかどうかが、引用の目的ごとに判断されます。その際には、引用される・引用する著作物の性質、当該著作物の実務慣行及び引用に用いられるサービスの仕様等が考慮されます。

　引用する目的（報道、批評、研究に限られない）に応じて、引用が「正当な範囲」かどうかが個別に判断されます。引用に必要ない範囲まで複製がされているケースや、独立して鑑賞の対象となるレベルの部分を複製している場合には、正当な範囲を逸脱していると評価されやすくなります。

● 近年の裁判例における判断

知財高裁平成22年10月13日判決(絵画鑑定書事件)

絵画の鑑定書の偽造を防ぐために鑑定対象である絵画のカラーコピーを鑑定書に掲載することは、コピー部分が独立に利用される可能性が低く、著作権者の経済的利益を得る機会が失われるということも考え難いから、公正な慣行に合致し、かつ目的からみて正当な範囲であるといえ、引用として認められる

東京地裁平成30年2月21日判決(ヘリ墜落映像事件)

ヘリ墜落映像をドキュメンタリー映画に収録する際、ヘリ墜落映像の著作権者である報道機関の名称が表示されていない場合、公正な慣行に合致するとはいえず、引用は認められない

知財高裁令和5年3月30日判決(YouTube動画の引用事件)

Aは、Bが警察官に現行犯逮捕された状況を撮影した動画をYouTubeに投稿した。その後、Bも、Aの動画を切り抜いた動画をYouTubeに投稿し、Aの動画により自己のプライバシーが侵害されたと批判。

AがBに対し、自己の動画を無断で切り抜く編集をしたことは著作権等を侵害すると主張するも、裁判所は、Bの編集は適法な引用であると判断し、Aの著作権の侵害にはあたらないとした

まとめ

☐ 近年では、条文の文言に即して引用が認められるかが判断されているケースが増加している

☐ 「公正な慣行に合致する」「引用の目的上正当な範囲内」かどうかは、個々のケースに即して判断される

著作物の検討の過程において
認められる利用

● プレゼンや企画書における検討過程で著作物を利用できる

　企業がデザインや商品開発の企画を行うにあたり、外部のクリエイター（著作権者）に依頼することを想定して、**企画書等に当該著作権者の著作物が掲載されたり、商品の試作品が作成されたりすることがあります。**

　このような行為にともない、著作物が複製または翻案される可能性がありますが、これらの企画書や試作品は検討目的でしか使われないため著作権者への不利益は小さく、また、企画の検討自体が最終的には著作権者への依頼につながり得る行為であることから、**著作権法上権利制限規定として認められています** 著30条の3。

　利用が認められるのは、著作権者等の許諾を得て利用することを予定している著作物のみです。最終的にこの著作物は使わないという結論になっても問題ありませんが、許諾を得ることを前提として利用する必要があります。

　また、**検討に必要な範囲を超えた利用をすることはできません。** たとえば、あるキャラクターの利用に係る検討を行う場合で、当該キャラクターを利用した試作品を、無関係な社外の者に大々的に配布することはできません。

　最後に、検討に必要な行為であるとしても、著作物の種類、用途、利用の態様に照らし著作権者の利益を不当に害する場合には、当該行為は認められません 著30条の3ただし書。企画を担当する社員が多数に及び、その全員に企画書を配布するような事例が挙げられます。

● 検討過程の利用が認められるケース、認められていないケース

検討過程とは

検討

検討終了

以後は正式な
ライセンス等により
ず利用不可

著作権者の許諾等を
得て著作物を利用し
ようとする者

検討の過程：この範囲で利用可能

利用可否	具体例
利用が認められるケース ○	漫画のキャラクターの商品化を企画するに際し、著作権者から許諾を得る以前に、社内の会議資料や企画書等にキャラクターを掲載
	映像にBGMを入れるに際し、著作権者から許諾を得る以前に、どの楽曲を用いるかを検討するために、実際に映像にあわせて楽曲を録音する行為
利用が認められないケース ✕	許諾を得て利用する予定がない著作物を企画書に掲載する行為
	キャラクターの商品化を企画するに際し、当該キャラクターを利用した試作品を、無関係な取引先や一般消費者に配布する行為
	企画を担当する社員が多数に及ぶ場合に、必要がないのに、担当社員全員に企画書を配布する場合

利用が認められないケース

許諾を得て利用する予定
がない著作物を企画書に
掲載する行為

多数の担当社員全員に
企画書を配布する場合

当該キャラクターを利用した
試作品を無関係な取引先や
一般消費者に配布する行為

まとめ	☐ 著作権者にデザイン等を依頼するための検討過程で、著作物を利用することができる

学校の教育活動において認められる利用

⊙ 授業等での著作物の複製と公衆送信時の注意点

学校で著作物を利用する場面としては、(a) 新聞記事や写真等の著作物をコピーし資料を作成して対面授業で生徒に配布する、(b) 対面授業や遠隔もしくはオンデマンド授業に必要な教科書や参考書等のコピーを生徒が使えるようにサーバにアップロードする、(c) 遠隔合同授業、(d) スタジオ型遠隔授業、(e) オンデマンド型遠隔授業（授業の動画を収録し、生徒がアクセスして使えるようにサーバにアップロードする）、(f) 小説等を試験問題として使用する、(g) レポートや論文での引用、(h) 文化祭、運動会や部活動での上演、等が考えられます。

ここでは (a) から (e) の授業での著作物の複製とインターネット送信について説明します。**著作権法第35条**は、❶学校その他の教育機関で、❷「授業」の過程で、❸「教育を担任する者」と「授業を受ける者」に対して、❹必要と認められる限度で、著作物を無許諾・無償で複製すること、無許諾・無償または補償金を支払って公衆送信すること、並びに無許諾・無償で公に伝達することを認めています。右のチャートに従い、(a) では著作物を著作権者に無許諾かつ無償で複製し配布でき、(c) では無許諾かつ無償で送信できます。(b)、(d) 及び(e) では、補償金を支払って無許諾で送信が可能です。この場合、学校等の設置者（教育委員会、学校法人等）が授業目的公衆送信補償金等管理協会（SARTRAS）に事前登録し、利用に応じた補償金を SARTRAS に支払います。

ただし、いずれの場合も著作権者の権利を不当に害する場合はこの限りではありません。

◉ 授業等での著作物利用についての判断チャート

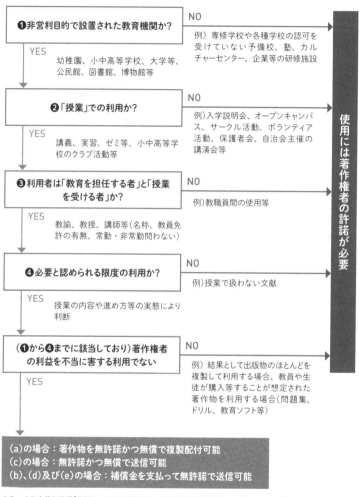

❶非営利目的で設置された教育機関か?

YES
幼稚園、小中高等学校、大学等、公民館、図書館、博物館等

NO
例) 専修学校や各種学校の認可を受けていない予備校、塾、カルチャーセンター、企業等の研修施設

❷「授業」での利用か?

YES
講義、実習、ゼミ等、小中高等学校のクラブ活動等

NO
例) 入学説明会、オープンキャンパス、サークル活動、ボランティア活動、保護者会、自治会主催の講演会等

❸利用者は「教育を担任する者」と「授業を受ける者」か?

YES
教諭、教授、講師等(名称、教員免許の有無、常勤・非常勤問わない)

NO
例) 教職員間の使用等

❹必要と認められる限度の利用か?

YES
授業の内容や進め方等の実態により判断

NO
例) 授業で扱わない文献

(❶から❹までに該当しており)著作権者の利益を不当に害する利用でない

YES

NO
例) 結果として出版物のほとんどを複製して利用する場合、教員や生徒が購入等することが想定された著作物を利用する場合(問題集、ドリル、教育ソフト等)

使用には著作権者の許諾が必要

(a)の場合:著作物を無許諾かつ無償で複製配付可能
(c)の場合:無許諾かつ無償で送信可能
(b)、(d)及び(e)の場合:補償金を支払って無許諾で送信可能

出典:文化庁著作権課「学校における教育活動と著作権」令和5年度改訂版 P.5 〜6を参考に作成

まとめ
☐ 対面授業での複製物の配布は、必要な範囲で可能である
☐ アップロード等する場合は、補償金の支払いが必要

美術の著作物等に適用がある
特別な権利制限規定

◉ 美術の著作物の利用に対し特別に認められているルール

美術の著作物については、**一点ものの芸術品として流通・展示されるという性質をふまえ、著作権法上、特別な権利制限規定が定められています。**

第一に、美術の著作物または写真の著作物のオリジナル（複製品ではない原作品）の**所有者**は、当該著作物の著作権を有しているわけではありませんが、**原作品を展示することができます**（著45条1項）。ただし原作品の所有者が、原作品を屋外で恒常的に展示する場合には、著作権者の同意が必要です（著45条2項）。

次に、**屋外で恒常的に設置されている美術の著作物及び建築の著作物は、原則として自由に利用できる**ため、写真を撮ったり、模写したりしても著作権侵害になりません。もっとも右中表のような行為は例外となります（著46条各号）。

また、美術の著作物の展示が行われる場合、**展示を解説する目的**でパンフレットに当該作品の写真が掲載されたり、館内で作品の動画が上映されたりしますが、展示について著作権者の許可を得ている者であれば、これらの行為は適法に行えます（著47条）。

最後に、**オークション**等で美術の著作物または写真の著作物を譲渡する際、商品の写真がカタログやインターネットに掲載される場合があります。これらは複製及び公衆送信にあたりますが、適法に行うことができます（著47条の2）。

◉「公開の美術の著作物等について」認められるケース

屋外恒常設置の美術の著作物または建築の著作物 ➡ **原則自由に利用可能**

《利用が可能な例》

出典：六本木ヒルズ
HP（※1）

出典：福岡市美術館
HP（※2）

出典：慶應義塾大学
アート・センター（※3）

《利用した例》

出典：判例時報1758号142頁

例）ペインティングされた市営バス
が屋外恒常設置の美術の著作物と
され、権利制限規定による、書籍
の表紙への利用が認められた

◉「公開の美術の著作物等について」認められない利用

概要	解説
彫刻を増製し、またはその増製物を譲渡する行為	彫刻としての複製でなければ可
建築の著作物と同一の建築物を建造し、またはそれを譲渡する行為	建築物でなければ複製可能（プラモデル等）
屋外の場所に恒常的に設置するために複製する行為	屋外の場所に設置する（展示する）ことを許可できるのは著作権者だけ
もっぱら美術の著作物の複製物の販売を目的として複製し、または複製物を販売する行為	複製物の販売利益は著作権者に帰属させるべき

◉ 美術の著作物等を利用・展示することができる例

概要	詳細	解説
美術の著作物等の展示に伴う複製等	パンフレット・展示目録に作品を掲載する	いずれも展示対象の著作物の解説または紹介目的である必要あり
	展覧会の館内で上映する動画に作品を収録する	

※1 https://www.roppongihills.com/sp/takashimurakamiproject/
※2 https://www.fukuoka-art-museum.jp/collection_highlight/2656/
※3 http://www.art-c.keio.ac.jp/news-events/event-archive/architecture-open-day-2015/

まとめ	☐ 美術の著作物は、著作権者の許可なく様々な利用ができる ☐ 認められない利用についても押さえておく

著作物でないデータベースの利用と不法行為

　著作物でない情報については、他の法律に抵触しない限り誰もが自由に利用できるというのが原則です。このため、データベース 著2条1項10の3 を利用するにあたっては、①当該データベースが著作物ではなく、②当該データベース内の個々のデータの内容も著作物に該当しない場合には、当該データベースの全部または一部をコピーしたりインターネットにアップロードしたりしても、他人の権利利益を侵害しません。北朝鮮映画事件（最高裁平成23年12月8日判決）でも、このことが確認されています。

　例外的に、著作権法が保護する利益とは異なる権利利益が侵害されているといえる場合には、データベースの利用が不法行為となる可能性があります。北朝鮮映画事件判決よりも前の裁判例ですが、事業用に販売するデータベースを同業他社がコピーする行為等、著しく不公正な手段を用いて営業上の利益を侵害するような行為について、不法行為の成立が認められているものがあり、参考になります。

　著作権法上保護されるデータではない場合でも、別の法律により保護が図られる可能性はあります。たとえば、ビジネス上特定の者にのみ提供する目的で電磁的方法により相当量蓄積されているデータ（例：有料会員にのみ提供されるデータベース）については、不正競争防止法上の限定提供データとして保護される可能性があります。限定提供データを不正に取得・利用すると、不正競争防止法上の差止請求や損害賠償請求を受けるほか、刑事罰を課される可能性もあります。

Part

4

著作権者・著作物利用者双方の立場から

デジタル時代の
著作権の使い方

権利者からみた
著作権の活用方法

● 著作権を活用して対価を得る方法：譲渡・ライセンス

　著作権者は、著作物を独占的に利用する権限を有しています。言い換えると、著作権者以外の者は、権利制限規定に該当する場合を除いては、著作権者に無断で著作物を利用することはできず、無断で利用した場合には**著作権侵害**となります。

　そこで著作権者は、自らが著作権を有する著作物につき、その著作物を利用したいと考える第三者に対し、自己の**著作権を譲渡**したり、または**利用許諾（ライセンス）**することにより、著作権を活用した対価を得ることができます。これが**著作権の活用**です。

　著作権の譲渡と著作権の利用許諾の大きな違いは、著作権が移転するかどうかです。著作権の譲渡の場合には、文字どおり新しい著作権者（**譲受人**）に対して著作権が移転し、元の著作権者（**譲渡人**）には著作権が残りません。一方、著作権の利用許諾は、元の著作権者のもとに著作権を残したまま、第三者が著作物を利用することを許諾するものです。そのため、著作権者は、利用を希望する相手方との関係性や対価の大小なども慎重に検討したうえで、自身に著作権を残すのかどうかという点を決める必要があります。

　同様に、自身が著作権を有する著作物をウェブサービスに投稿する際も注意が必要です。著作権がサービス運営者や他の利用者に譲渡されるのか、利用許諾されるとしてどの範囲で許諾されるのか、利用規約を慎重に確認すべきでしょう。

　著作権を譲渡する際に留意すべき事項は P.74、著作権を利用許諾する際に留意すべき事項は P.76 で詳しく述べます。

● 著作権の代表的な活用方法

著作権を活用した対価を得る場合、第三者に譲渡する、利用許諾（ライセンス）するという、大きく2つの方法がある

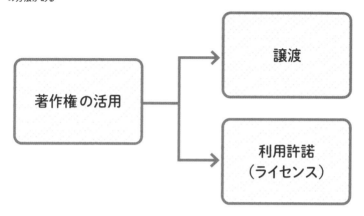

● 独占的な利用許諾と非独占的な利用許諾

利用許諾の種類	詳細
独占的な利用許諾	著作権者は他の利用者に対して利用許諾をすることができない（独占性） ※注 派生として、著作権者自身も利用できなくなる完全独占的利用許諾という形態もある
非独占的な利用許諾	著作権者は他の利用者に対して利用許諾をすることができる。利用者の側から見ると、自分以外の他の利用者も同じ著作物を利用できることになる（非独占）

まとめ	□ 権利の代表的な活用方法には、譲渡と利用許諾とがある □ 譲渡と利用許諾の違いは、著作権が著作権者から移転するかどうか

他人の著作物を利用したい場合に
検討する権利処理の方法

● 権利処理が必要かどうかの判断

　著作権を有していない者が、テキスト・イラスト等のコンテンツを利用したいと考えた際、著作権法上どのようにすれば適法にコンテンツを利用できるかを検討する必要があります。これを実務的には**権利処理**ということがあります。

　権利処理の検討手順は一つに決まっていませんが、以下ではその一例を示します。

　第一に、対象となる**コンテンツが著作物かどうか**を検討する必要があります。対象となるコンテンツが著作物でない場合には、当然著作権は発生せず、当該コンテンツは誰でも利用可能です。

　次に、対象となるコンテンツが著作物の場合でも、著作権法が定める**保護期間が満了**している場合があります。この場合、著作権は消滅していることから、当該コンテンツは誰でも利用可能です（このようなコンテンツを**パブリック・ドメイン**（PD）という）。

　さらに、対象となるコンテンツが保護期間内の著作物である場合でも、著作権法が定める**権利制限規定に該当**すれば、権利制限規定において認められる範囲内で、当該著作物を著作権者の許諾なく利用することができます。

　著作物の利用が権利制限規定に該当しない場合には、その利用の態様・用途に応じて、著作権者から著作権の譲渡を受けたり、あるいは当該著作物の利用許諾を得たりする必要があります。

　著作権者が不明であるような場合には、文化庁が定める「裁定」という制度を利用することもあります。

● 権利処理を考える際のフローチャート

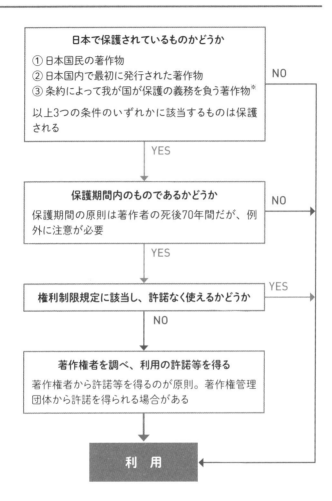

日本で保護されているものかどうか

① 日本国民の著作物
② 日本国内で最初に発行された著作物
③ 条約によって我が国が保護の義務を負う著作物※

以上3つの条件のいずれかに該当するものは保護される

NO

YES

保護期間内のものであるかどうか

保護期間の原則は著作者の死後70年間だが、例外に注意が必要

NO

YES

権利制限規定に該当し、許諾なく使えるかどうか

YES

NO

著作権者を調べ、利用の許諾等を得る

著作権者から許諾等を得るのが原則。著作権管理団体から許諾を得られる場合がある

利 用

※ 日本はベルヌ条約を始めとする国際条約に加盟しており、世界の大半の国と相互の保護関係がある
出典：文化庁「著作物を正しく利用する場合の手順」を一部改変

| まとめ | □ 他人の著作物を利用する場合には権利処理が必要 |
| | □ 権利処理においては、著作物性、保護期間、権利制限規定等を上記のフローチャートなどを用いて検討する |

著作権の譲渡時には、当然には譲渡できない権利に注意が必要

● 著作権は譲渡できるが、特掲と著作権人格権に留意が必要

著作権者は、著作権を他人に譲渡することができます。たとえば、自分が作成したソフトウェアプログラムの著作権者であるAさんが、そのプログラムの著作権をBさんにすべて譲渡したとします。このとき、著作権を譲り受けたBさんは新たに著作権者となります。一方で、著作権を譲り渡したAさんは著作権者ではなくなります。つまり、著作権のすべてを譲渡した後は、Aさんは、自分が作成したプログラムであっても自由に利用できなくなります（右上図参照）。

なお著作権のうち、**翻案権** 著27条 と**二次的著作物**の利用に関する権利 著28条 については、契約書で単に「著作権を譲渡する」と記載しただけでは譲渡されず、「著作権法27条及び28条に定める権利を含めて譲渡する」旨を明記する必要があります（特掲事項 著61条2項）。

著作権者が著作権を譲渡したとき、他人に譲渡できない著作者人格権はどうなるのでしょうか。この点については、**すべての著作権を譲渡した後も、プログラムを作成したAさんが著作者人格権を有する**ことになります。つまり、Aさんは「著作権者」ではないのですが、「著作者」ではあり続けるのです。しかし、Bさんとしては、せっかくプログラムの著作権を譲渡してもらったのに、Aさんから著作者人格権の一つである同一性保持権を行使されると、プログラムの改変が一切できないことになり、困ってしまいます。そのため、実務においてはこのような事態を防ぐため、**著作権を譲渡する際に、「著作者人格権は行使しない」ことを契約上で合意する**ことが通例です。

● 著作権を「譲渡する」ことの意味

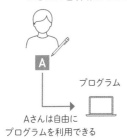

創作時

Aさんがプログラムを作成
→Aさんに著作権が発生

プログラム

Aさんは自由に
プログラムを利用できる

著作権の譲渡時

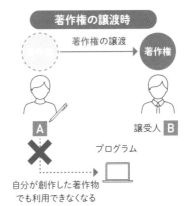

著作権の譲渡 → 著作権

譲受人 B

プログラム

自分が創作した著作物
でも利用できなくなる

● 著作権の譲渡と著作者人格権の不行使

創作時

Aさんがプログラムを作成

→Aさんに著作者人格権※
　が発生

プログラム

※ 著作者の人格的利益を
保護する権利（P.18参照）

著作権の譲渡時

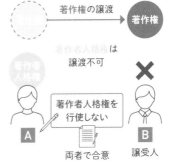

著作権の譲渡 → 著作権

著作者人格権は
譲渡不可

著作者人格権を
行使しない

両者で合意　　　譲受人

まとめ

☐ 著作権は譲渡できる。著作権を譲渡すると、譲受人から利用許諾を
受けない限りは、自分で創作した著作物でも利用できなくなる

☐ 著作権を譲渡する際には特掲事項に留意する。また、著作権を譲渡
する場合であっても、著作者の著作者人格権は譲渡できない。著作
者人格権の不行使についても合意することが通例

著作物のライセンスとその利用権

●ライセンシーは、著作権の譲受人に、利用権を主張できる

　著作権者は、自ら著作物を利用する他に、他人に著作物の利用を許諾することができます。たとえば、自分が作成したプログラムを第三者に利用許諾するようなケースがあげられます。著作権者と利用者が、著作物の利用許諾について取り交わす契約を「**利用許諾契約**」「**ライセンス契約**」などと呼びます。

　著作権者（ライセンサー） と、著作物の**利用許諾を受ける者（ライセンシー）** は、公序良俗に反しない限り、ライセンス契約の内容を自由に決めることができ、ライセンシーは、ライセンス契約に定められた利用方法や条件の範囲で著作物を利用することができます。

　もし、ライセンス契約の締結後に、ライセンサーが自己の保有する著作権を別の第三者に譲渡してしまった場合には、ライセンシーはその著作物の利用を継続できるのでしょうか。この点については、令和2年の著作権法改正によって、ライセンサーとの間でライセンス契約を締結し、これに基づき著作物を利用する権利（利用権）を有するライセンシーは、ライセンサーからその著作権を取得した者その他の第三者に対し、その**利用権を対抗**することができるようになりました 著63条の2。なお「対抗」とは、「特定の当事者間で生じた法律関係が、当事者以外の第三者に対して効力を有すること」を意味します。これを**当然対抗制度**といいます。改正前では、ライセンサーが著作権を第三者に譲渡した場合、ライセンシーはこの第三者(譲受人)に対して利用権を対抗することができないとされていたので、令和2年改正によってライセンシーの保護が図れることになったといえます。

● ライセンス契約における令和2年著作権法改正のポイント

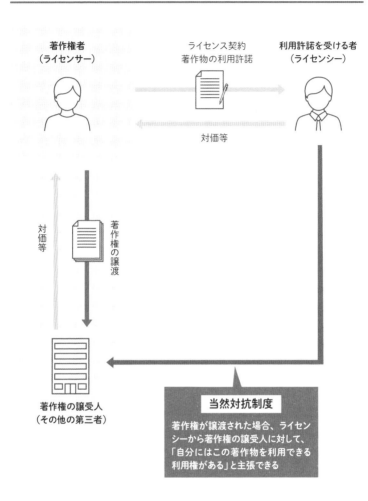

著作権者
（ライセンサー）

ライセンス契約
著作物の利用許諾

利用許諾を受ける者
（ライセンシー）

対価等

対価等

著作権の譲渡

著作権の譲受人
（その他の第三者）

当然対抗制度

著作権が譲渡された場合、ライセンシーから著作権の譲受人に対して、「自分にはこの著作物を利用できる利用権がある」と主張できる

| まとめ | ☐ 著作物の利用許諾の際は、「ライセンス契約」を取り交わし、利用方法や条件を定める |
| | ☐ 令和2年の著作権法改正によって創設された当然対抗制度によって、ライセンシーの保護が図れることになった |

著作権等の侵害と
差止請求・損害賠償請求

●「著作権の侵害」と「著作者人格権の侵害」

　著作者や著作権者の許諾や同意を得ることなく著作物を無断で利用すると、著作権法上の権利侵害となる可能性があります。この場面で問題となる権利侵害は、主に「著作権の侵害」と、「著作者人格権の侵害」の2つです（著作権法上はその他にも著作隣接権の侵害などの類型がある）。

　著作権の侵害とは、複製権、公衆送信権、翻案権などの個別の権利を侵害することです。著作権の侵害に対応する手段としては、民事上の請求の、**侵害行為の差止請求** 著112条1項 や、著作権者に生じた**損害の賠償請求**を行うことができます 民709条 。

　次に著作者人格権の侵害とは、公表権、氏名表示権、同一性保持権を侵害することです。たとえば、未発表の著作物を無断で公開すること（**公表権の侵害**）、著作物に付された氏名を削除すること（**氏名表示権**）、著作者の同意を得ることなく著作物を改変すること（**同一性保持権の侵害**）などは、著作者人格権の侵害になります。

　著作者人格権の侵害に対応する手段としても、民事上の請求の、侵害行為の差止請求 著112条1項 や、著作者に生じた損害の賠償請求を行うことができます 民709条 。さらに謝罪広告の掲載などの措置（**名誉回復措置**）を請求することも可能です 著115条 。

　また著作権や著作者人格権を侵害した者は、**刑事上の責任**を負う可能性もあります。

● 著作権等の侵害と民事責任・刑事責任

	請求内容	説明
民事上の請求	差止請求権	著作者は、著作権や著作者人格権を侵害する者・侵害するおそれがある者に対し、侵害の停止・予防の請求をすることができる 著112条1項 。また、差止請求をするに際し、侵害の行為を構成した物や侵害の行為により生じた物の廃棄等、侵害の停止・予防に必要な行為を請求することもできる 同条2項
	損害賠償請求権	著作者は、著作権侵害や著作者人格権侵害によって損害を被った場合、損害賠償請求をすることができる 民709条 。 なお、著作権等（著作者人格権は除く）の侵害があった場合には、著作権者等の損害額に関する立証責任を軽減するために、損害賠償額の推定規定が適用される 著114条
	名誉回復措置請求権	著作者は、故意・過失により著作者人格権を侵害した者に対し、著作者であることを確保し、または訂正その他自己の名誉・声望を回復するために適当な措置を請求することができる 著115条

	説明
刑事責任	著作権を侵害した者は、10年以下の懲役もしくは1000万円以下の罰金の罰金またはその両方が科せられる 著119条1項 著作者人格権を侵害した者は、5年以下の懲役もしくは500万円以下の罰金またはその両方が科せられる 著119条2項1号

まとめ	☐ 権利侵害には、主に「著作権の侵害」と、「著作者人格権の侵害」の2類型がある ☐ 「著作権の侵害」と「著作者人格権の侵害」があった場合、著作権者または著作者は民事上の請求が可能となる。また、侵害した者は刑事上の責任を負う可能性がある

著作権侵害の要件は類似性と依拠性の両方を満たすこと

● 類似性・依拠性のいずれかを欠けば非侵害となる

　著作権侵害が認められるためには、複製や翻案という利用行為の存在だけでなく、❶類似性、❷依拠性が要求されます（右上図参照）。

　著作物とは思想または感情を創作的に表現したものをいいます 著2条1項 。そのため、ある著作物の**類似性**を判断する際には、**表現上の本質的な特徴を直接感得できることが必要**であり、逆に表現それ自体でない部分（アイディア等）や、創作性がない部分しか共通していない場合には、類似性は否定されます（最高裁平成13年6月28日判決）。とりわけ、アイディアが共通していても著作権法上「類似」と評価されないため、俗にいう「パクリ」が必ずしも著作権侵害にあたるものではないことに注意が必要です。

　依拠とは、**他人の著作物に接し、自己の作品の中に用いること**を意味します。「依拠」が要件とされることにより、たまたま他人の先行する著作物と類似した著作物を創作したとしても、後続して創作された当該著作物は先行する著作物の著作権侵害となりません。

　依拠性の問題は、AIによる生成物（AI生成物）が、AIの学習に利用された著作物と偶然類似するものであった場合、当該AI生成物が学習利用著作物の著作権侵害になるのかという形で、昨今話題となっています（P.138参照）。

● 著作権侵害の要件

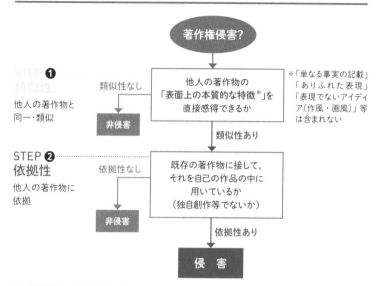

著作権侵害?

STEP ❶
類似性

他人の著作物と
同一・類似

類似性なし → **非侵害**

他人の著作物の
「表面上の本質的な特徴※」を
直接感得できるか

類似性あり

STEP ❷
依拠性

他人の著作物に
依拠

依拠性なし → **非侵害**

既存の著作物に接して、
それを自己の作品の中に
用いているか
（独自創作等でないか）

依拠性あり

侵 害

※「単なる事実の記載」
「ありふれた表現」
「表現でないアイディ
ア（作風・画風）」等
は含まれない

Part 4 デジタル時代の著作権の使い方

● 類似性の判断方法

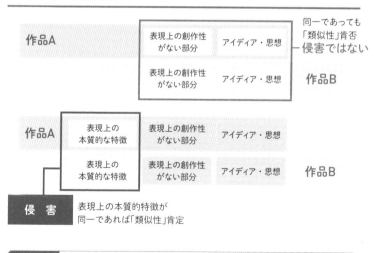

作品A

| 表現上の創作性がない部分 | アイディア・思想 |

同一であっても
「類似性」肯否
侵害ではない

| 表現上の創作性がない部分 | アイディア・思想 | 作品B

作品A

| 表現上の本質的な特徴 | 表現上の創作性がない部分 | アイディア・思想 |

| 表現上の本質的な特徴 | 表現上の創作性がない部分 | アイディア・思想 | 作品B

侵 害　表現上の本質的特徴が
同一であれば「類似性」肯定

| **まとめ** | □ 著作権侵害の要件として類似性・依拠性が求められる
□ 著作権法上の類似概念と、いわゆる「パクリ」は別 |

81

著作権侵害では損害賠償額が
推定されることがある

● 損害賠償額は、ときに大きな金額となることがある

　著作権侵害行為は、著作権者が自身の著作物を通して得るはずだった対価を喪失させる行為といえます。したがって、著作権者は、侵害者に対して著作権侵害に基づく**損害賠償を請求**できます。

　もっとも、著作権侵害があったとしても、当該侵害により発生した損害の額を立証することは困難です。そこで、著作権法は、著作権者の立証負担軽減の観点から、著作権侵害により発生した損害の額を推定する規定を置いています　著114条（右図参照）。

　1つ目の推定規定は、侵害者が侵害行為により作成した物の数量に、当該侵害行為がなければ著作権者が販売することができた物の**単位数量利益額を乗じて得た額**を損害額と推定するものです。

　2つ目の推定規定は、侵害者が侵害行為により利益を受けているときには、**当該利益額**をもって損害額と推定するものです。

　3つ目の推定規定は、著作物の利用がなされる際に、本来であれば支払われるべき**著作権使用料相当額**を損害額と推定するものです。

　一般的には1つ目の推定規定による場合が、推定損害額が大きくなる傾向にあるところ、著作権者は、侵害者による侵害行為の態様や立証方法の有無等の観点から、どの推定規定を用いるかを検討して損害賠償を請求することになります。

　逆に利用者側としては、たとえばライセンス料1万円のイラスト素材を許諾を得ずに使った場合、請求を受ける損害額は、単に支払いをしなかった1万円以上に大きな金額になりうるリスクがあることを理解しておく必要があります。

○ 損害額の推定規定とルール

事例：海賊版CD会社を訴えたケース

CD1枚あたり500円の利益を上げていたレコード会社Xが、「A」というCDの海賊版を販売するY社を訴えた。譲渡数は1万枚であり、Y社は100万円の利益を上げていた

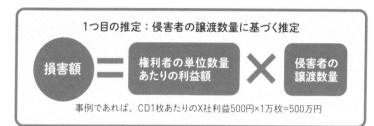

1つ目の推定：侵害者の譲渡数量に基づく推定

損害額 ＝ 権利者の単位数量あたりの利益額 × 侵害者の譲渡数量

事例であれば、CD1枚あたりのX社利益500円×1万枚＝500万円

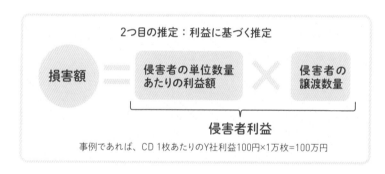

2つ目の推定：利益に基づく推定

損害額 ＝ 侵害者の単位数量あたりの利益額 × 侵害者の譲渡数量

侵害者利益

事例であれば、CD1枚あたりのY社利益100円×1万枚＝100万円

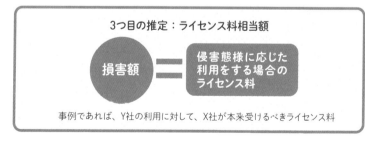

3つ目の推定：ライセンス料相当額

損害額 ＝ 侵害態様に応じた利用をする場合のライセンス料

事例であれば、Y社の利用に対して、X社が本来受けるべきライセンス料

まとめ

□ 著作権侵害に基づく損害賠償請求では、損害額が推定される
□ 損害の額を推定する規定は、大きく3つの算定方法に分かれている

共有となった著作権は他の共有者の合意がないと利用できない

● 他の共有者の同意や合意なくできること、できないこと

　著作権の共有とは、1つの著作権を複数の人が持っている状態のことです。著作権が共有となるパターンとしては、①**共同著作物**（2人以上の者が共同して創作した著作物であって、その各人の寄与分を分離して個別に利用できないもの。なお、右図のとおり、結合著作物とは異なる）を創作した場合、②**著作権者が死亡し、当該著作権を相続する相続人が複数いる**場合、③**契約や合意によって1つの著作権を複数の当事者間で共有する**場合などがあります。

　著作権が共有となった場合には、各共有者自身が利用する（複製や改変等を含む）際でも、**他の共有者の合意が必要**です 著65条2項 。各共有者は「正当な理由」がない限り、合意の成立を妨げることはできないと規定されていますが 著65条3項 、「正当な理由」の解釈をめぐる争いが生じるおそれもあります。

　実際の裁判例では、経済学の研究者である原告と被告が連名で発表した書籍について、その後原告が被告に対して当該書籍の増刷及び韓国語版での出版を求めたという事案では、執筆から4年も経過し、社会経済情勢の変化によって内容が陳腐化している点等の事情を勘案して、「被告には、本件書籍の増刷、韓国語への翻訳を拒むについて『正当な理由』があると解するのが相当である」と判断した裁判例があります（「戦後日本経済の50年事件」東京地裁平成12年9月28日判決）。

　なお、著作権が共有となった場合であっても、**差止請求や損害賠償請求はそれぞれの共有者が単独で行使することが可能**です。

● 共同著作物のイメージ

2人以上の者が共同して創作した著作物のうち、各人の寄与を分離できないものを「共同著作物」といい（例：共同執筆した論文）、分離可能なものを「結合著作物」という（例：詞・作曲が別人の音楽楽曲）

共同著作物　　　　　　結合著作物

執筆　分離不可　執筆　　作詞　分離可能　作曲

Aさん　Bさん　　Aさん　Bさん

● 共同著作物及び共有著作権の著作権法上規定

	説明
人格権の行使	全員の合意が必要 著64条 ※注 信義に反して、合意の成立を妨げることができない
持分の譲渡または質権の設定	全員の同意が必要 著65条1項 ※注 正当な理由がない限り、同意の成立を妨げることができない
利用	全員の合意が必要 著65条2項 ※注 正当な理由がない限り、合意の成立を妨げることができない
差止請求	単独請求可 著117条
損害賠償	持分に応じて単独請求可 著117条

まとめ	□ 共有となった著作権は他の共有者の合意がないと利用できない □ 合意を拒絶するためには「正当な理由」が必要だが、解釈をめぐる争いが生じるおそれもある

クリエイティブ・コモンズ・ライセンス
（CCライセンス）とは

● CC ライセンスはインターネットの普及にともない登場

　他人が創作した著作物（コンテンツ）を利用するためには、当該利用が権利制限規定に該当しない限り、著作権者から当該著作物の著作権の譲渡を受けるか、または利用許諾を受ける必要があります。

　このうち後者の、利用許諾をする行為や、利用許諾を受けることで設定される利用権を「ライセンス」ということがあります（P.76 参照）。

　インターネット上のコンテンツの流通においてよく知られるライセンスとして、**クリエイティブ・コモンズ・ライセンス**（CC ライセンス）があります。CC ライセンスは、インターネット時代のための新しい著作権ルールとして登場したライセンスです。

　CC ライセンスは、4 つの利用条件を組み合わせて生まれる 6 種類のライセンスからなります。

　具体的には、著作権者は、自らが著作権を有するコンテンツをどのように流通させたいかを考えて、①氏名（クレジット）表示、②非営利、③改変禁止、④ライセンス継承の 4 つの利用条件を要求するかどうかを検討し、これらを組み合わせて得られた CC ライセンスを選択してコンテンツに付与します。これにより、著作権者は、簡易に自身のコンテンツの流通方法をコントロールできます。

　また、利用者にとってみても、**定型化された CC ライセンスの内容を前提にコンテンツを利用できる**ため、自身の利用条件に即したコンテンツを見つけて利用することができます。たとえば、CC ライセンスは普及したライセンスであるため、画像検索サービスでも、検索条件で CC ライセンスを設定できることが多いです。

◉ CCライセンスの利用条件

 表示
作品のクレジットを表示すること
BY

 非営利
営利目的での利用をしないこと
NC

 改変禁止
元の作品を改変しないこと
ND

 継承
元の作品と同じ組み合わせのCCライセンスで公開
SA

◉ CCライセンスの種類

上記利用条件を組み合わせて以下の6種類のライセンスとなる

表示
作品のクレジットを表示すること

表示/非営利
作品のクレジットを表示し、営利目低での利用をしないこと

表示/改変禁止
作品のクレジットを表示し、元の作品を改変しないこと

表示/継承
作品のクレジットを表示し、元の作品と同じ組み合わせのCCライセンスで公開すること

表示/非営利/改変禁止
作品のクレジットを表示し、営利目低での利用をしないこと。さらに元の作品を改変しないこと

表示/非営利/継承
作品のクレジットを表示し、営利目低での利用をしないこと。さらに元の作品と同じ組み合わせのCCライセンスで公開すること

まとめ
☐ CC ライセンスはウェブ上で広く利用されている
☐ CC ライセンスは 4 つの利用条件を組み合わせて生まれる

OSS（オープンソースソフトウェア）と著作権

● OSS はライセンス条件が重要

OSS（**オープンソースソフトウェア**）とは、ソースコードが入手可能であり、誰でも自由に複製や改変、配布ができる条件で提供されているソフトウェアのことです。

無償公開されているソフトウェアの中には「フリーソフトウェア」や「フリーウェア」と呼ばれるものがありますが、これらについては、必ずしもソースコードが公開されているとは限りません。また一定のライセンス条件が課されているものもあり、必ずしも自由に複製や改変、配布ができるとは限りません。そのため、これらのソフトウェアには、OSS の定義に合致しないものも存在します。

OSS の著作権者は、その OSS について、他人が複製や改変等の利用行為を行えるかどうかをコントロールできる権利を有しています。OSS の著作権者は利用を許諾する際、様々なライセンス条件を定めることができますし、逆に、OSS を利用する者は著作権者によって定められたライセンス条件を遵守する必要があります。ライセンス条件に違反した場合には、OSS の著作権者から損害賠償や差止を請求される可能性があります。

代表的な OSS としては、**Apache License、MIT License、GPL** 等が挙げられます。

平成 30 年 3 月に一般財団法人ソフトウェア情報センター（SOFTIC）から発行された「IoT 時代における OSS の利用と法的諸問題 Q&A 集」の 28 ページには、「主なライセンスの種類」として、詳しい内容が紹介されています（右上表参照）。

● OSSの代表なライセンス

OSS ライセンスの種類(例)	主要なライセンス条件				
	著作権表示義務	ライセンスの承継(同一条件で配布)	OSS(改変部分を含む)のソースコード提供義務	結合する他コードへの伝搬性(※)	保証免責責任制限
GPLv3	有	有	有	有	無保証で配布する
Mozilla Public License v.1.1, v.2.0	有	有	有	有	
Apache Ver.2.0	有	有	無し	無し	
MIT License	有	有	無し	無し	

※ 「伝搬性」とは、ある OSS と一体化したソフトウェア全体(OSSの派生物) に対して、ソースコードの公開等、OSS ライセンス(許諾条件)が適用されること

● OSSにおいてよくあるライセンス条件

①OSSを配布する際には、そのOSSの著作者が定めたライセンス文書を添付すること
②OSSを配布する際、OSSに含まれていた知的財産関連の情報(著作権表示等) を残しておくこと
③OSSを利用した製品に、その OSSが含まれている旨の記載を行うこと
④OSSを改変する際には、誰が、どのような改変を行ったのかを記載しておくこと
⑤OSSを改変して提供する際には、改変者が含めた自らの特許権を改変版の利用者に許諾すること
⑥OSSのバイナリを提供した相手にOSS のソースコードも提供すること
⑦上記⑥に加えて、OSSと他のプログラムをリンクや結合等して作成した派生著作物を配布する場合、全体のプログラムのソースコードも提供して、同じOSSのライセンスを適用すること

出典:一般財団法人ソフトウェア情報センター「IoT 時代における OSS の利用と法的諸問題 Q&A 集」

まとめ	☐ OSS のライセンス条件に違反すると、OSS の著作権者から損害賠償請求求や差止請求をされる可能性がある ☐ OSS の個々のライセンス条件に留意する必要がある

商用利用かどうかは権利処理に影響するのか?

　他人の著作物の利用に際して、「商用利用かどうかは権利処理の
ハードルが変わるのか」というご相談をいただくことがあります。
たとえば、商用利用の場合には引用が使えないのではないか、な
どといった相談です。

　まず、権利制限規定との関係です。非営利であることが条文上
要件とされている一部の権利制限規定（たとえば営利を目的としな
い上演等 著38条 ）を除き、商用利用かどうかは、原則として権利
制限規定の適用に影響を与えません。上記の例に即して説明する
と、商用利用の場合には引用の権利制限規定が適用されないとい
うことはありません。

　次に、権利制限規定が適用されず著作物の利用に際して著作権
者の許諾を得る必要がある場合には、著作権者が定める著作物の
利用条件に従うこととなります。

　著作権者が著作物をインターネット上に配布している場合、著
作権者は、あわせて著作物の利用条件を公開していることも少な
くありません。そのような利用条件の中には非商用利用であるこ
とを条件とするものも一定数あります。たとえば、非営利を意味
するクリエイティブ・コモンズ・ライセンス（NC：非営利）が付さ
れた著作物は商用目的で利用することはできません（P.86参照）。

　著作権者が利用条件を公開していない場合には、個別に問い合
わせの上、利用許諾を受けることになります。その場合、商用利
用が許諾されるかどうか、許諾されるとして対価の支払の有無及
び具体的な金額は、著作権者が当該著作物に対して有する意向を
踏まえた、個別の交渉によることになります。

Part

5

利用者が知っておくべき

ウェブサービス・SNSと
著作権

「著作権フリー」素材でも
利用には注意が必要

◉ 約20万円の損害賠償の支払いを命じた裁判例もある

　自社のウェブサイト等に掲載する写真やイラストについて「著作権フリー」といった検索ワードで出てきた画像を使おうとした方は少なくないかもしれません。しかし「**著作権フリー**」素材の使用によるトラブルが多く発生している点には注意が必要です。

　実際に、写真等の素材販売サイトを運営する原告企業が、原告企業の著作物である写真素材をフリー素材であると誤信して無断で利用していた被告企業に対して、損害賠償等を求めた裁判例があります（東京地判平成27年4月15日判決）。

　この裁判において、被告企業は、写真素材がフリー素材であると**誤信**したことや、各写真には原告企業の著作物であることを示す情報（透かし文字などの識別情報）がないので過失がない旨を主張しましたが、裁判所は「仮にフリーサイトから入手したものだとしても、**識別情報や権利関係の不明な著作物の利用を控えるべき**ことは、著作権等を侵害する可能性がある以上当然である」としてこの主張を退け、被告企業に約20万円の損害賠償の支払いを命じました。

　著作権フリーを謳うサイトのなかには、単に他のサイトから集めてきた写真素材等を「著作権フリー」と称して、権利者に無断で提供している悪質なものもあり、このような素材を利用した場合でも、利用者自身が著作権侵害に問われることになります。

　イラスト等の素材を無料で利用したい場合は、信頼できるサイトが提供している素材のみを使用するなど、細心の注意を払うようにしましょう。

◉「著作権フリー」素材のよくある定義

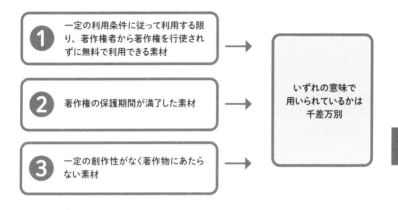

1 一定の利用条件に従って利用する限り、著作権者から著作権を行使されずに無料で利用できる素材 →

2 著作権の保護期間が満了した素材 →

3 一定の創作性がなく著作物にあたらない素材 →

いずれの意味で用いられているかは千差万別

◉ 素材提供サイトによくある利用条件

NGであることが多い利用行為

- 素材を利用者自身の作品として発表すること
- 素材そのものが主体となる商品を作成して販売すること(イラストを大写ししたTシャツを販売する等)
- アダルトコンテンツ等に利用すること

※注　無料イラスト提供サービス「いらすとや」では、素材を21点以上使った商用デザインの場合は有償となるといった利用条件あり(2024年1月現在)

まとめ

☐ 検索ワード「著作権フリー」で表示されただけで無断で使える素材と判断してはならない

☐ 素材提供サイトの素材を利用する場合は、必ず事前に利用条件を確認する

リンクを張る行為と著作権侵害

● 他人のページへのリンクは原則著作権侵害とはならない

　自身のブログやSNSの内容を充実させるために、他のウェブページへのリンクを張ったり、他人のコンテンツをアップロードしたりする場合がありますが、これらの行為は著作権侵害にあたるでしょうか。

　まず**リンクを張る行為**は、原則として、他人の著作権を侵害することにはなりません。なぜなら、リンクを張った場合、そのリンクをクリックすると、リンク先のウェブページの情報が閲覧者の端末に送信されることとなるに過ぎず、リンクを張る行為によって、リンク先のコンテンツが複製されたり公衆送信されたりするわけではないためです。

　これに対し、他人のウェブページ上の他人が著作権を有する画像等のコンテンツを**自分の端末に保存したうえで、自分のウェブページ等にアップロードする行為**は、当該他人が許諾している場合を除いて、原則として著作権侵害となります。

　なお、リンクを張る行為についても、違法にアップロードされた著作物へのリンク情報等を集約したいわゆる「**リーチサイト**」や「**リーチアプリ**」については、あらたに令和2年の著作権法改正によって規制され、著作権侵害にあたることとされました。また、著作権侵害とならない場合でも、リンクを張る態様によっては、不法行為責任として損害賠償責任を負う場合や、不正競争防止法等に違反する場合もあるので注意しましょう（右表参照）。

● ウェブ上の様々なリンク

ハイパーリンク
クリック等することによって、リンク先のウェブページ等が表示されるように設定されたリンク

インラインリンク
リンクボタンをクリックする等の操作を介することなく、リンク元のウェブページが立ち上がったときに、リンク先のウェブページが閲覧者の端末上に自動表示されるように設定されたリンク。リツイート（リポスト）もインラインリンクに含まれる。原則として著作権侵害とならないが、著作者人格権侵害の可能性が生じる点には留意を要する（P.18参照）

イメージリンク
他のウェブページ内の画像に設定されたリンク。インラインリンクの一種であり、通常のリンク（ハイパーリンク）と同様、原則として著作権侵害とならないが、当該画像を自分の端末に保存したうえで自分のウェブページにアップロードした場合（画像が著作物の場合、複製権侵害及び公衆送信権侵害となる）と見た目が異ならないため、しばしばトラブルとなる

投稿やウェブページ

インラインで表示される画像

Part 5 ウェブサービス・SNSと著作権

● リンクを張る行為と法的責任

関連する法律	説明
著作権	原則として著作権侵害とはならない。ただしリーチサイトやリーチアプリについては刑事罰がある。また例外的に著作者人格権の侵害となる場合がある（P.18参照）
不法行為（民法）	リンク先の情報を不正に自らの利益を図る目的により利用した場合や、リンク先に損害を加える目的により利用した場合など特段の事情のある場合は、不法行為責任が問われる可能性がある
商標権	他企業のホームページ上の登録商標であるロゴマークにイメージリンクを張って、自らのホームページ上で、当該ロゴマーク（登録商標）をその指定商品または指定役務について使用した場合、商標権侵害となる可能性がある

出典：経済産業省「電子商取引及び情報財取引等に関する準則」（令和4年4月）160ページ以下を元に作成

> **まとめ**
> □ 他人のウェブページにリンクを張っても原則として著作権侵害とはならない
> □ ただし「リーチサイト」「リーチアプリ」については刑事罰が科されるほか、リンクを張る行為が不法行為等に該当する場合もある

SNSやブログで他人の著作物を
投稿する際の留意点

● 著作物を投稿する場合は権利制限規定を満たすこと

　SNSやブログで他人の著作物であるマンガを数ページ投稿したり、音楽や映画を数分にわたって投稿している例がありますが、これらはいずれも著作物の投稿（公衆送信）であり、著作権侵害となる可能性が高い行為です。

　歌詞の一節程度であれば著作物性が認められない場合もありますが、1曲分の歌詞丸ごとであれば、著作物となる可能性が高いでしょう。本の表紙（書影）の投稿もよく見られますが、これも著作物の投稿と判断される可能性が高いといえます。

　SNSやブログなどのインターネット上で著作物を投稿する場合、まずは他人の著作物を原則として投稿しないことが無難です。他人の著作物にあたる可能性がある場合は、権利制限規定の適用がないかを検討しましょう。

　具体的には、適法な引用となる投稿にする、写り込みとして処理できないかを検討するなどです。

　適法な引用として認められるためには、自身が創作した部分と引用した他人の著作物部分とが明瞭に区分されており、また両者に主従関係が認められること、正当な範囲での引用であること等が必要になります（P.58〜61参照）。

　メインとしたい投稿の背景にたまたま他人のイラストが含まれていたり、他人の音楽が流れていたりした場合は、写り込み（P.54参照）として、一定の要件のもとで利用が許されていますので押さえておきましょう。

● SNSやブログで著作物を投稿する場合の考え方

> 他人の著作物は原則として利用しない

↓ しかし

> 他人の著作物を利用する場合は、権利制限規定（Part 3参照）が適用されるように投稿する

↓ もっとも

著作権法上の注意点

- 引用（著32条1項）の場合、明瞭区分性や主従関係があること、正当な範囲内であること、公表された著作物であること、出典を明示することが必要（P.58〜61参照）
- 写り込み（著30条の2）の場合、他人の著作物（付随対象著作物）が付随して写り込んだといえることや、正当な範囲であることなどが必要（P.54参照）。なお他人の著作物が分離困難であることは、必須の要件ではなくなった（令和2年著作権法改正）

いずれの権利制限規定も満たさない場合は、
権利者から許諾を得られる場合を除き、投稿は控える。
特に企業や団体名義のアカウントでは、
権利者が黙認してくれることを期待した安易な投稿は行わない

著作権侵害とならない場合でも、
他人の顔写真等を投稿する場合は、プライバシー権の侵害、
芸能人の顔写真等を投稿する場合は、パブリシティ権の侵害
となる可能性が生じる点にも注意する

まとめ
- □ 他人の著作物を投稿する場合は、引用や写り込みなどの権利制限規定を満たす工夫をする
- □ プライバシー権やパブリシティ権の侵害にも注意する

X（旧Twitter）と著作権①
他人の投稿をスクショした画像

● スクショ添付したポストも適法な引用となる可能性がある

　SNS の X（旧 Twitter）において、他人のポスト（旧ツイート、投稿のこと）をスクリーンショット（以降スクショ）した画像を添付するツイートをした場合、著作権法上適法な引用（P.58 ～ 61 参照）となるでしょうか。

　この点、他人のツイートをスクショした画像を添付するツイートは、Twitter の規約に違反するもので公正な慣行に合致するものではなく著作権法上の引用要件を満たさないとした裁判例があり、議論を呼びました。しかし同裁判例の控訴審では、スクショを添付するツイートが Twitter の規約違反にあたると認めるには足りないことや、**批評対象であるツイートを示す手段として引用リツイート（現リポスト）機能を用いた場合、元ツイートが変更削除されると引用リツイートで表示される内容に変更等が生じ、批評の趣旨を正しく把握したりその妥当性等を検討したりすることができなくなるおそれがあることを指摘したうえで、スクショ添付という引用方法も著作権法上の引用にあたる可能性があるので、元ツイート者の著作権を侵害することが明らかであると認めるに十分とはいえないとして、原判決を取り消しました。

　したがって、他人のポストをスクショした画像を添付したポストも、引用要件を満たす可能性はあります。ただしこれはあくまで著作権法上は適法となる可能性を意味するに過ぎず、スクショに添えたポストの内容次第では、名誉棄損等と評価されて不法行為責任を負う場合がある点には注意が必要です。

● X（旧Twitter）の引用要件

事例：
他人のしたツイート（ポスト）が著作物にあたる場合、
当該ツイートをスクショした画像を添付したツイートは、
著作権（複製権及び公衆送信権）を侵害する？

知財高判令和5年4月13日の判旨より

- Twitterの規約の内容は、直ちに引用要件における「公正な慣行」の内容となるものではない
- 他のツイートのスクショを添付してツイートする行為が、Twitterの規約に違反すると認めることはできない
- 批評の対象とするツイートを示す手段として、引用リツイートを利用することはできるが、当該機能を用いた場合、元のツイートが変更されたり削除されたりすると、引用リツイートにおいて表示される内容にも変更が生じ、批評の趣旨を正しく把握したりその妥当性等を検討したりすることができなくなるおそれがある
- 元のツイートのスクショを添付してツイートする場合には、そのようなおそれを避けることができる
- したがって、スクショの添付という引用の方法も「公正な慣行」にあたり得るので、著作権法上適法な引用にあたる可能性がある

もっとも

スクショ添付が著作権法適用となる場合はあっても、
何をツイートしてもよいわけではない。
ツイートの内容次第では、別途名誉棄損となり、
不法行為に基づく損害賠償責任を負う可能性はある

まとめ	☐ 他人のスクショ画像を添付したポスト（ツイート）も著作権法上適法な引用となる可能性がある ☐ ポスト（ツイート）の内容次第では名誉棄損等となる可能性はある

X（旧Twitter）と著作権②
リツイートと著作者人格権

◉リツイートによって氏名表示権を侵害したと判断された

　他人が著作権を有する写真画像を無断で投稿したツイート（現リポスト）をリツイートしたところ、Twitter（現X）のシステム上の仕様によって写真画像の上下がトリミングされてしまいました。その結果、写真画像に含まれる著作者の氏名部分が表示されなくなり、**リツイートした者が、写真画像の著作者が有する氏名表示権**（P.18参照）**を侵害したと判断**した最高裁判所の判決について紹介します（右上参照）。

　まず本判決は、リツイートによって「著作権」を侵害したと判断したわけではありません。リツイートはインラインリンクにあたるところ、原則としてリンクを張る行為は著作権侵害にあたりません（P.94参照）。しかし本判決は、写真画像を含むツイート（元ツイート）をリツイートすると、元ツイートの写真画像がトリミングされて表示されるというTwitterの仕様により、写真画像の一部に含まれていた氏名部分がカットされた写真画像がリツイートで表示された場合、たとえ写真画像をクリックすれば氏名部分を含む全体が表示されるとしても、リツイートした者は写真画像の著作者が有する氏名表示権を侵害したことになると判断しました。

　本判決は、他人が著作権を有する写真画像を無断で投稿した著作権を侵害するツイートをリツイートした場合についての判断であり、著作者自身により投稿された適法なツイートをリツイートした場合について判断されたわけではありません。ただリツイートによって著作者の氏名表示権を侵害したと判断した判決があることについて、Xの利用者は注意しておくべきでしょう。

● 氏名表示権の侵害が認められた事案

最高裁判所令和2年7月21日判決における事案の概要

1. 写真家である原告は、自身が撮影した写真の下部に、自身の氏名やサインなど（氏名表示部分）を付加した画像（本件写真画像）を、自身のウェブサイトに掲載した〔図1〕

2. あるTwitter上のアカウントが、原告に無断で、本件写真画像を複製した画像を含む投稿をツイートした（元ツイート）

3. 2の元ツイートを、Twitter上の別のアカウントがリツイートしたところ、Twitterの仕様によって本件写真画像の上部と下部がトリミング表示された結果、氏名表示部分が表示されなくなった〔図2〕

以上の事案について、判決（一部原判決）は、① 2.の元ツイートは、本件写真画像を複製して投稿している以上、著作権侵害になる。② 3.のリツイートは、著作権侵害またはその幇助にはあたらないが、③ リツイートによって氏名表示部分がトリミング表示された以上、原告の氏名表示権を侵害していると判断した

〔図1〕本件写真画像

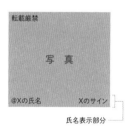

〔図2〕リツイートによって氏名表示部分が
　　　表示されなくなった状態

まとめ	□ リツイートした者が他人の氏名表示権を侵害すると判断した最高裁判決がある
	□ リツイートする際は、元ツイートが適法に投稿されたツイートか、リツイートによって画像がトリミング表示されないか等に留意する

建築物を撮影した写真をウェブで利用する場合の注意点

◉ 写真撮影は著作権法に原則反しない

建築物も「建築の著作物」として保護される場合があります 著10条1項5号 。ただしすべての建築物が「建築の著作物」となるわけではなく、いわゆる建築芸術といえる程度の創作性を備えた場合に限られるとされているので、通常の建売住宅などは該当しないでしょう。なおモニュメント等の屋外アート作品など、創作性の高い建築物の場合は、「美術の著作物」として保護される場合もあります 著10条1項4号 。ただし著作権には保護期間があり、原則として著作者の死後70年で満了するところ 著51条 、寺院等の歴史的建造物の場合は、すでに保護期間が満了している場合が多いでしょう。

次に、保護期間が満了していない「建築の著作物」や「美術の著作物」であっても、撮影した写真を利用することは原則として許されています 著46条 。まず「建築の著作物」の場合、写真を撮影することや、撮影した写真を利用すること（インターネット上へのアップロードを含む）は著作権法に抵触しません。写真データを販売する等の商用利用も可能です。次に「美術の著作物」であっても屋外に恒常的に設置されている場合、写真を撮影することは可能です（P.67参照）。ただし、もっぱら**販売を目的として写真を撮影**したり、**その写真を販売したりすることは許されていません**。したがって、たとえば写真をウェブ等で販売する目的等で撮影したり、実際にウェブ等で写真データを販売することは許されていないので、注意するようにしましょう。

● 建造物の写真撮影についての検討フロー

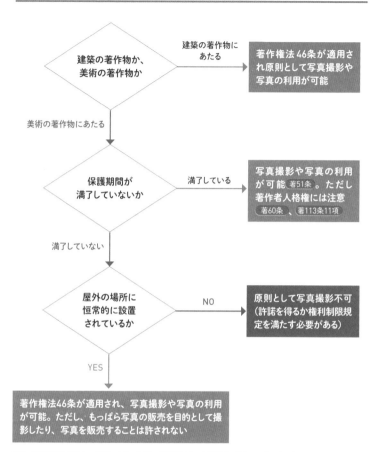

建築の著作物か、美術の著作物か

→ 建築の著作物にあたる → **著作権法46条が適用され原則として写真撮影や写真の利用が可能**

↓ 美術の著作物にあたる

保護期間が満了していないか

→ 満了している → **写真撮影や写真の利用が可能 著51条 。ただし著作者人格権には注意 著60条 、 著113条11項**

↓ 満了していない

屋外の場所に恒常的に設置されているか

→ NO → **原則として写真撮影不可（許諾を得るか権利制限規定を満たす必要がある）**

↓ YES

著作権法46条が適用され、写真撮影や写真の利用が可能。ただし、もっぱら写真の販売を目的として撮影したり、写真を販売することは許されない

※注 上記は著作権法上の整理であり、施設の管理区域内から撮影する場合は、施設管理権や、施設が定める管理規約等に別途従う必要がある。管理規約等により、特別に撮影が許されている場合もある

まとめ
- ☐ 建築物が「建築の著作物」や屋外に恒常的に設置された「美術の著作物」にあたる場合、写真撮影は原則として可能
- ☐ ただし屋外に恒常的に設置された「美術の著作物」にあたる場合、もっぱら販売目的で写真撮影することは許されていない

コンテンツ制作に関する契約と著作権① 発注者の立場から

● 著作権の譲渡を受けるには「著作権譲渡契約」が必要

イラストや文章などのコンテンツ制作をクリエイター（受注者）に依頼する場合、発注者は代金さえ支払えば、コンテンツの著作権も当然得られるものと考えがちですが、これはよくある誤解です。

著作権は著作物を創作した者（著作者）に帰属するため、コンテンツ制作の場合、**著作権はコンテンツを創作したクリエイターに帰属することになるのが原則**です。そのため、コンテンツ制作を依頼した発注者が著作権を取得するためには、クリエイターから発注者に対して著作権を譲渡する旨の合意（著作権譲渡契約）が必要になります。なお著作権の譲渡が実現できない場合でも、コンテンツの利用許諾（ライセンス）を受けられれば、コンテンツの利用は実現できるため、著作権の譲渡を受ける場合に近い効果を得ることができます（利用条件等の制約が課せられる場合はあります）。

著作権譲渡契約において注意が必要なのは、翻案権 **著7条** と二次的著作物に関する権利 **著28条** については、契約書で単に「著作権を譲渡する」と記載しただけでは譲渡されず、「**著作権法 27 条及び 28 条に定める権利を含めて譲渡する**」と明記する必要がある点です（特掲事項 **著61条2項**）。

さらに著作者人格権については譲渡が許されていないため **法59条**、契約書では「受注者は著作者人格権を譲渡する」と記載するのではなく、「**受注者は著作者人格権を行使しない（不行使条項）**」等と定める必要がある点にも留意しましょう。このように、特掲事項と著作者人格権の記載にも注意しておく必要があります。

● 制作代金を支払っただけでは著作権は得られない

著作権譲渡契約または著作物利用許諾契約を締結する必要がある

発注者

受注者
（クリエイター）

代金の支払い

著作権譲渡または著作物の利用許諾

《契約にあたって発注者が注意すべきポイント》
① 譲渡契約では著作権法27条及び著作権法28条についても記載（特掲）
② 著作者人格権の不行使について記載
③ 契約書の作成が難しい場合は、発注書やメール等で著作権の譲渡や利用許諾の条件を記載して合意しておく

● 著作権譲渡契約書の記載例

「著作権譲渡契約書」の記載例（発注者の立場から）

1　受注者が創作した本コンテンツの著作権（**著作権法27条及び28条に定める権利を含みます**）は、代金支払いと同時に、受注者から発注者に譲渡されるものとします。
2　受注者は、本コンテンツについて、**著作者人格権を行使しないものとします**。

「著作物利用許諾契約書」の記載例（発注者の立場から）

1　受注者は発注者に対し、本契約期間中、本コンテンツを……という方法により利用することを許諾します。
2　受注者は、本コンテンツについて、**著作者人格権を行使しないものとします**。

まとめ	□ コンテンツ制作を依頼する場合は著作権譲渡契約書か、著作物利用許諾契約書を作成する □ 著作権譲渡契約書では、特掲事項と著作者人格権不行使についても記載する

Part
5

ウェブサービス・ＳＮＳと著作権

コンテンツ制作に関する契約と著作権② 受注者の立場から

● 著作権を譲渡するか、ライセンスにとどめるか

前節では発注者の立場からみた留意事項について解説しましたが、ここではコンテンツ制作に関する契約について、受注者（クリエイター）の立場からみたポイントを説明します。

コンテンツ制作の依頼を受けた受注者としては、コンテンツの著作権を発注者に**譲渡するか、ライセンス**（著作権を譲渡するのではなく、コンテンツの利用を許諾）**するにとどめておくか**を慎重に検討する必要があります。一般的には、ライセンスよりも著作権譲渡の方が対価は高くなる傾向にありますが、著作権譲渡の場合、譲渡後は原則として受注者自身も当該コンテンツを利用することができなくなるため、今後受注者自身による利用も見込んでいる場合は、ライセンスを選択することになります。

また、著作権譲渡契約では、**著作権が譲渡されるタイミング**を、代金が支払われるよりも前（たとえば契約締結時や納品時）とした場合、コンテンツは納品して著作権も譲渡しているのにもかかわらず代金は支払ってもらえない、という事態が生じかねません。

そこで受注者側としては　発注者に代金を確実に支払ってもらえるように、なるべく「代金支払いと引き換えに著作権を譲渡する」といった定めをしておくことが望ましいでしょう。

このように、ひとくちに著作権譲渡契約書といっても、発注者側と受注者側とで、望ましい条項の定め方は異なってきます。取引相手から渡された契約書を鵜呑みにするのではなく、自身の立場からみて不利な内容となっていないか、よく確認する習慣をつけましょう。

● 著作権譲渡契約かライセンス契約かを判断するポイント

受注者が今後も
著作物を利用し
たい場合は…
ライセンス契約

受注者が発注
者以外の者に
もライセンスし
たい場合は…
ライセンス契約

受注者がより多く
の対価を得たい
場合は…
著作権譲渡契約

※注 発注者が著作権譲渡契約を望んでいる場合は、発注者の意向に沿わざるを得ないこともある

● 著作権譲渡契約書の記載例

新たなコンテンツを制作するにあたって、依頼を受ける前にすでに作成していたコンテンツ（既作成コ
ンテンツ）を一部で利用する場合もある。この場合、既作成コンテンツの著作権については、発注者
に譲渡するのではなく、受注者にとどめることが便宜であるため、以下のような記載例が考えられる

「著作権譲渡契約書」の記載例（受注者の立場から）

1　受注者が創作した本コンテンツの著作権（著作権法27条及び28条に定める権利
　　を含みます）は、代金支払いと同時に、受注者から発注者に譲渡されるものとし
　　ます。ただし本コンテンツに含まれる著作物のうち、受注者または第三者が本契
　　約前から保有していた著作物の著作権は除くものとします。

まとめ	□ 受注者の立場からは、著作権譲渡かライセンスかを慎重に検討する
	□ 契約書では代金受領タイミングに関する部分にも注意する

他社の利用規約をそのまま使用すると、著作権侵害になるのか

◉ サービス利用規約でも著作物性が認められる場合はある

あらたなサービスを立ち上げる際に、他社が公開しているサービス利用規約を参考にして、自社用のサービス利用規約を作成する場合がありますが、著作権法上の問題はないのでしょうか。

著作物とは思想または感情を創作的に表現したものであるところ、契約書案について、思想または感情を表現したものではないと判断した裁判例があります。

サービス利用規約は、サービス利用に関する取り決めを記載したものであるところ、一般的な表現、定型的な表現になることが多く、その表現方法もおのずと限られたものとなり、ありふれた表現にすぎないものとして著作物性は否定される場合が少なくないと思われます。

もっとも独自の表現を用いていたり、利用規約の表現に全体として作成者の個性が表れているような特別な場合には、**著作物として認められる場合もあります**。たとえば時計修理のサービス規約について、「疑義が生じないよう同一の事項を多面的な角度から繰り返し記述するなどしている点」について個性が表れているとして、当該規約の著作物性を認めた裁判例もあります。

そもそも利用規約は個々のサービスによって異なるものであるため、他社のサービス利用規約を自社サービスにそのまま用いると、支障が生じる場合が少なくありません。このような観点からも他社のサービス利用規約をそのまま使用することは避けるべきでしょう。

● サービス利用規約の著作権性

時計修理サービスの裁判例（東京地裁平成26年7月30日判決）
ウェブサイトに掲載した時計修理サービスの修理規約の文言等を複製・転載した被告に対し、原告の著作権を侵害したとした損害賠償金の支払いと、掲載の禁止を命じた

> 通常の規約であれば、ありふれた表現として著作物性は否定される場合が多い

しかし……

> 規約であることから、当然に著作物性がないと断ずることは相当ではなく、その規約の表現に全体として作成者の個性が表れているような特別な場合には、当該規約全体について、これを創作的な表現と認め、著作物として保護すべき場合もあり得る

原告の修理規約の内容

- 腐食や損壊の場合に保証できないことがあること
- 浸水の場合には有償修理となること
- 修理にあたっては時計の誤差を日差±15秒以内を基準とするが、±15秒以内にならない場合もあり、その場合も責任を負わないこと

などを重ねて規定していた

> 同一の事項を多面的な角度から繰り返し記述するなどしている点に
> 原告の個性が表れているとして、
> 原告の修理規約について著作物性を認めた

まとめ	☐ 他社利用規約の使用が著作権侵害となる場合はある
	☐ 個々のサービスごとに適切な利用規約の内容は異なるので、他社利用規約をそのまま使うことは、著作権の問題以前に適切でない場合が多い

コンテンツの軽微利用が
認められる所在検索サービス

◉ 書籍検索サービスや楽曲検索サービスの可能性が広がる

　検索エンジンの仕組を簡潔に説明すると、インターネット上の情報を収集（クローリング）してサーバーに保存したうえで、ユーザーの求めに応じて、当該情報を検索結果として**一部表示（スニペット表示等）**しているものです。これらの各行為は、それぞれインターネット上における著作物の複製や公衆送信に該当する可能性がありますが、著作権法は以前より、検索エンジンを含むインターネット上の情報検索サービスのために特別な権利制限規定（P.50参照）を設け、**一定の限度（軽微利用の範囲）で適法**としてきました。

　2019年1月に施行された改正著作権法では、このような軽微利用が認められる範囲がさらに拡大しました（右表参照）。具体的には、従来はインターネット上の情報を、URLとスニペット、サムネイル等で一部表示する場合に限って適法とされていたところ、改正後は、インターネット上の情報に限らず**現実世界の情報も対象となり、またスニペット表示等に限られない利用も可能**になりました。

　具体的には、特定分野の書籍をスキャン・デジタルデータ化したうえで、検索に応じて、書籍中の文章の一部を提供するサービス（書籍検索サービス）や、街中で流れている楽曲をスマホのマイクで取り込み、当該楽曲について，曲名やアーティスト名に加えて楽曲の一部を出力するサービス（楽曲検索サービス）などが一定の条件のもとで認められるようになりました。これらのサービスは所在検索サービスと総称され、改正法の施行後、適法に提供できる可能性が広がったことになります。

● 著作権法に抵触せず実現可能な所在検索サービス

2019年1月に施行された改正著作権法47条の5により、以下のような所在検索サービスが著作権者の許諾を得ることなく実現可能となった

サービス名	サービス内容
書籍検索サービス	特定のキーワード検索に応じて、書誌情報や所在に関する情報の提供に付随して、書籍中の当該キーワードを含む文章の一部を提供するサービス
番組検索サービス	自分の関心のあるキーワードが放送されたテレビやラジオ番組を検索し、その結果を提供するサービスにおいて、結果提供とともに番組の一部分を提供するサービス
映画検索サービス	利用者がカメラで撮影した風景の写真に写っている建築物にまつわる映画について、タイトル等の関連情報とともに当該映画のサンプル画像や短時間のサンプル映像を提供するサービス
楽曲検索サービス（「Shazam」等）	周りで流れている音楽をスマホのマイクで取り込み、当該楽曲について，曲名やアーティスト名、アーティストの写真や楽曲を一部出力するサービス
評判情報分析サービス（「クチコミ係長」等）	特定の情報（店舗や企業、施設、人物等）の評判に関する情報について、ブログや新聞、雑誌等で掲載されているかを調査し、その情報を一部表示するサービス
論文剽窃検出サービス（「コピペルナー」等）	ある論文について、その論文と同じ記述を有する他の論文の有無を示すとともに、当該記述を一部表示することにより、論文剽窃の可能性を検出するサービス

※注 結果の提供に付随するものであることや、軽微な利用であることなど、著作権法47条の5の各要件を満たすことが必要となる

まとめ	□ 改正著作権法により、書籍検索サービスや楽曲検索サービスといった所在検索サービスが一定の要件を満たせば可能となった
	□ 軽微利用であることや、著作権者の利益を不当に害することとならない等の要件を満たす必要がある点には注意する

「歌ってみた」「弾いてみた」投稿と著作権法

● CD 音源を使うと著作隣接権侵害になる場合が多い

　YouTube などで、「歌ってみた」「弾いてみた」として、人気の楽曲を歌ったり弾いたりする動画が多数アップロードされています。

　これらの投稿については著作権法上、①**楽曲の著作権**、②**歌詞の著作権**、③**実演家（歌手や演奏者）やレコード製作者の著作隣接権**が問題となります。

　まず、①楽曲の著作権と②歌詞の著作権については、JASRAC（一般社団法人日本音楽著作権協会）等の著作権等管理事業者が、YouTube などの**動画投稿サービスと包括利用許諾契約を締結**しているため（右上図参照）、これらのサービス上で認められる範囲の利用であれば、著作権侵害には該当しません。したがって、**アカペラ**で歌ったり、**自ら演奏**したりした動画を YouTube などに投稿しても、編曲にあたらない限り、著作権法上の問題は生じません（右中図参照）。

　もっとも、投稿時に**元の音源（原盤）を使う場合**は別です。音源に関する権利には①②の権利以外に、③実演家やレコード製作者の著作隣接権が含まれます。①②の権利を管理する JASRAC による動画投稿サービスへの包括的利用許諾の対象には③の権利は含まれません。そのため、配信において音源を利用したい場合には、**音源の権利者から個別に許諾を得る**必要があります。

　サービスによっては、個別にレコード会社との間で③の著作隣接権に関する利用許諾契約を締結している場合があり、この場合は、元の音源を利用できることになります（右下図参照）。

● JASRACと包括利用許諾契約

JASRACは特定の動画投稿サービス等と包括利用許諾契約を締結しているため、これらの
サービス上であれば、ユーザーは、JASRACが管理する楽曲や歌詞について、個別に許諾
を得ることなく使用することができる。元の音源利用は権利者からの許諾が必要

> ### 《代表的なサービス》
>
> 17LIVE、Instagram、Threads、SHOWROOM、ツイキャス、TikTok、ニコニコ動画、
> Facebook、ふわっち、Pococha、YouTube、LINE

出典：JASRAC「利用許諾契約を締結しているUGCサービスの一覧（最終更新：2023年11月27日）」
https://www.jasrac.or.jp/information/topics/20/ugc.html

17LIVE　　https://jp.17.live/

SHOWROOM
https://www.showroom-live.com/

> ### 楽曲や歌詞の改変（編曲）
>
> JASRACは楽曲や歌詞をアレンジする権利は管理していない。そのため、元の楽曲
> や歌詞をアレンジした投稿をする場合には、権利者の許諾が必要となる場面がある

● 著作隣接権に関する利用許諾契約

> ### （例）
>
> たとえばニコニコ動画では、一定のレコード会社の特定の音源について、利用する
> ことが認められている

出典：「音楽著作物及び音楽原盤の利用に関するガイドライン」
https://info.nicovideo.jp/base/license_guideline.html

まとめ	☐ JASRAC 等の著作権等管理事業者と包括利用許諾契約を締結して いるサービスでは、楽曲や歌詞について個別の許諾を得ず利用可能 ☐ 音源については原則許諾が必要 （サービスによっては個別に利用が 許されている場合もある）

事業者によるユーザー投稿
コンテンツの権利処理

● 著作権譲渡や過剰な利用許諾を求めると炎上することも

　SNS など、ユーザーが文章や画像などのコンテンツを投稿できる
サービスの場合、**サービス利用規約**などにおいて、「**投稿したコン
テンツの著作権**は、投稿時にサービス事業者に譲渡されるものとし
ます」等と記載されている場合があります。このような利用規約に
ユーザーが同意することで、ユーザーとサービス事業者間において
利用規約に記載されたとおりの内容で契約が成立し、著作権もユー
ザーからサービス事業者に譲渡されることになります。

　たしかにサービス事業者側からすれば、著作権の譲渡を受けた方
がコンテンツを自由に利用できるため便利ではありますが、ユーザー
からすれば、単に皆に見てもらいたいと思って投稿しただけなのに、
著作権が譲渡されるというのは抵抗を覚えるかもしれません。

　これまでもユーザーが投稿したコンテンツについて、サービス事
業者に無償で著作権を譲渡させたり、**広範な利用を許諾させたりす
る旨を定めていたサービス利用規約が炎上**した事例がありました。

　サービス事業者側としては、せっかくユーザーが投稿してくれた
コンテンツなので、可能な限り利用できるようにしておきたいとこ
ろですが、近年はユーザーの権利意識も高まり、過剰な著作権の譲
渡を求めることはサービスの炎上につながり、最悪の場合、サービス
停止に追い込まれる可能性も生じます。当該サービスにとって不可欠
でない限り、著作権譲渡や過剰な利用許諾を求めるのではなく、必要
な範囲（サービスの適切な提供や適切な範囲でのプロモーション利用
など）に限って利用許諾を求めることが望ましいといえるでしょう。

● ユーザーコンテンツの利用許諾に関する規約例

投稿コンテンツの著作権を譲渡する規約

（例）

- ユーザーは、投稿コンテンツに関する全ての権利（著作権法第27条及び第28条に定める権利を含みます）を、投稿時に、当社に対し、無償で譲渡します。
- ユーザーは、当社及び当社から権利を承継または許諾された者に対して著作者人格権を行使しないことに同意するものとします。

投稿コンテンツの広範な利用許諾を求める規約

（例）

- 当社は投稿コンテンツを、地域・期間・回数・利用目的・利用方法・利用態様を問わず、無償で自由に利用し、また当社が指定する第三者に無償で利用させることができるものとします。

サービスの円滑な提供等に必要な範囲で利用許諾を求める規約

（例）

- 投稿コンテンツの著作権は、投稿コンテンツを創作したユーザーその他の第三者に帰属します。
- 当社は、投稿コンテンツについて、本サービスの円滑な提供、当社システムの構築・改良メンテナンス等に必要な範囲内で、変更その他の改変を行うことができるものとします。

まとめ	☐ ユーザー投稿コンテンツについて、著作権譲渡や広範な利用許諾を求める利用規約を定める必要があるかは慎重に検討する ☐ 利用許諾を得るのは必要な範囲に絞ることが炎上回避の秘訣

NFTコンテンツと著作権

● NFT の構造

NFT（Non-Fungible Token、非代替性トークン）は様々な場面で利用されますが、ここではいわゆる **NFT コンテンツ**（NFT の対象となるデータが「コンテンツ」、つまり映像、動画、アート、テキスト、著名人の肖像等であり、著作権やパブリシティ権等の知的財産権が発生しているもの）を対象に、「NFT の取引と著作権」について分析します。詳細は弊事務所の記事（https://storialaw.jp/blog/8344）をご参照ください。

NFT のデータ構造（右〔図1〕参照）は、①あるデジタルデータ（画像、テキスト、動画等、以下「**対象データ（❶）**」という）と、②①の内容を記述した**メタデータ（❷）**と、③②に関する**インデックスデータ（❸）**について、④①②③の一部または全部が**ブロックチェーン上に記録されている**（トークン化）**（❹）**というものです。このデータ構造を持つ NFT と、法的権利（著作権等）を組み合わせて譲渡やライセンスが行われる のが NFT の取引の実態です（右〔図2〕参照）。

問題は、**法的権利が載っている NFT か、載っていない NFT かはデータだけを見ても区別が付かない**ことです（右〔図3〕参照）。そのため、著作権者ではない者が NFT を発行することも可能ですし、法的権利が載っていない NFT をあたかも真正な（法的権利が付属している）NFT として譲渡することも可能です。この場合、譲渡を受けた人は法的権利を取得しませんので、当該 NFT を利用すると著作権侵害になる可能性があります。データだけからは**真正な NFT か否かが判らないことが NFT 取引の大きなリスク**です。

● NFTとその構造

〔図1〕 NFTのデータ構造

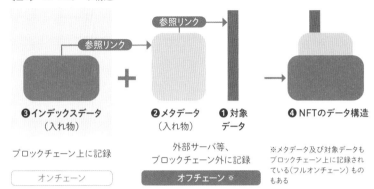

❸インデックスデータ
（入れ物）

ブロックチェーン上に記録

オンチェーン

❷メタデータ
（入れ物）

❶対象
データ

外部サーバ等、
ブロックチェーン外に記録

オフチェーン ※

❹NFTのデータ構造

※メタデータ及び対象データも
ブロックチェーン上に記録され
ている（フルオンチェーン）もの
もある

● NFT取引

〔図2〕 取引の実態

NFTの
データ

対象データに
関する法的権利

法的権利が載って
いるNFT

〔図3〕 真正なNFTか否かがわからない

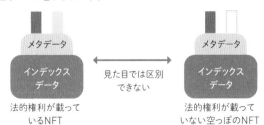

法的権利が載って
いるNFT

見た目では区別
できない

法的権利が載って
いない空っぽのNFT

まとめ	□ NFT コンテンツの取引においては、著作権や著作物の利用権などの法的権利が移転しないことがあり、注意が必要

著作権法上の引用要件を満たしているのに
「かさねて許諾」を得る必要はあるのか

　著作権法が定める引用の要件 (著32条1項) (P.58 〜 61参照)を満たす限り、著作物を引用するにあたって、著作権者から許諾を得る必要はありません（著作権者に事前に通知をする必要もありません）。しかし、ビジネスにおいては、引用要件を満たしているにもかかわらず、あえて著作権者から許諾を取ろうとするケースも少なくありません。そのような「かさねて許諾」を得ようとするメリットはあるでしょうか。

　著作権者からかさねて許諾を得ようとした結果、著作権者が許諾してくれればもちろん問題ありません。しかし、著作権者から「許諾しない」と回答されてしまうと、著作権法上は適法に利用できるのに、著作権者の意思を尊重しようとする結果、利用するのが難しくなる場合も生じます。また、著作権者の「許諾しない」との意思に反して利用すれば、「許諾しないと言ったのになぜ利用するのか」とトラブルに発展することも容易に想像できます。

　他方で、許諾を求められた著作権者の立場からしても、著作権法上適法な引用ならば、連絡などよこさずに勝手に使ってくれたらいい、「許諾します」と明確に回答すれば、著作権者として利用にお墨付きを与えたことになりかねず、「権利者公認」としてコンテンツが独り歩きするリスクがあるといった理由から、明示的に許諾する旨を回答するのは難しいという実情もあります。

　このように、引用要件を満たす適法な引用である限りは、かさねて許諾を得ようとする行為は弊害が大きく、無用のマナーと考えます。著作権者との関係性等の理由で、引用した旨は伝えておきたい場合は、許諾を得ようとするのではなく、報告するにとどめておくのがよいでしょう。

Part

6

機械学習や生成AIに関する法律

AI 時代の著作権を知る ケーススタディ

AIと著作権法の問題領域

● AIと著作権法の問題は、3つの場面に分けて検討する

　AIと著作権法については多数の論点がありますが、①AI開発・学習と著作権侵害・ライセンス処理、②AI生成物の生成・利用と著作権侵害、③AI生成物の著作物性の3つに分けると見通しがよいでしょう。

　①については、AI開発・学習のために、他人から許諾を得ることなく、他人が著作権を有する文章・画像等の著作物を複製等の方法で利用してよいかという問題です。この場合、著作権法上の問題はないかという問題と、ライセンス上の問題がないかの2つの観点から検討する必要があります。予測・識別AIと生成AIいずれにおいても問題になる論点です。

　②については、AI生成物を生成するために既存著作物をAIに入力する行為、AIを利用して既存著作物と類似・同一のAI生成物を生成する行為、既存著作物と類似・同一のAI生成物を利用する行為が著作権侵害にならないかという問題です。主として生成AIに関して問題になることが多い論点です。

　最後に③については、生成AIを利用して生成したAI生成物が著作物として著作権法上保護されるかの問題です。特にクリエイターやエンタメ企業（ゲーム会社など）が生成AIを業務に利用してコンテンツを生成する際に、AI生成物に著作物性が認められないと第三者に模倣され放題となるのでシビアな問題となります。

　なお、②と③は混同されがちですが別問題です。②で著作権侵害が否定されたとしても、③が独自創作ということは意味せず、③の検討によりAI生成物の著作物性が否定されるケースもあります。

● AIにおける著作権法の論点整理

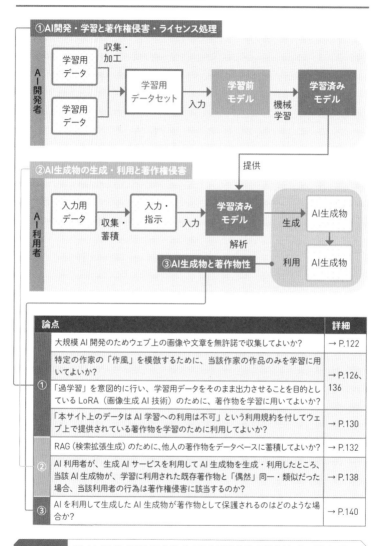

① AI開発・学習と著作権侵害・ライセンス処理

AI開発者

学習用データ → 学習用データセット

学習用データ

収集・加工

入力 → 学習前モデル

機械学習

学習済みモデル

② AI生成物の生成・利用と著作権侵害

AI利用者

入力用データ

収集・蓄積

入力・指示

入力 → 学習済みモデル

提供

③ AI生成物と著作物性

解析

生成 → AI生成物

利用 → AI生成物

	論点	詳細
①	大規模AI開発のためウェブ上の画像や文章を無許諾で収集してよいか?	→ P.122
	特定の作家の「作風」を模倣するために、当該作家の作品のみを学習に用いてよいか?	→ P.126、136
	「過学習」を意図的に行い、学習用データをそのまま出力させることを目的としているLoRA（画像生成AI技術）のために、著作物を学習に用いてよいか?	
	「本サイト上のデータはAI学習への利用は不可」という利用規約を付してウェブ上で提供されている著作物を学習のために利用してよいか?	→ P.130
②	RAG（検索拡張生成）のために、他人の著作物をデータベースに蓄積してよいか?	→ P.132
	AI利用者が、生成AIサービスを利用してAI生成物を生成・利用したところ、当該AI生成物が、学習に利用された既存著作物と「偶然」同一・類似だった場合、当該利用者の行為は著作権侵害に該当するのか?	→ P.138
③	AIを利用して生成したAI生成物が著作物として保護されるのはどのような場合か?	→ P.140

まとめ

□ AI（予測・識別AIや生成AI）と著作権法の論点は、「AI開発・学習と著作権侵害・ライセンス処理」「AI生成物の生成・利用と著作権侵害」「AI生成物の著作物性」の3つの領域に分けて考えるとよい

AI開発・学習のための複製・利用は原則著作権侵害とならない

⊙ 機械学習パラダイスと呼ばれる日本著作権法の特殊性

　AI開発・学習と著作権侵害が問題となるのは、他人の著作物をAI開発・学習のために無許諾で利用（複製・公衆送信等）をする場合です。日本の著作権法には「**30条の4**」という条文があり、要点としては、**「情報解析」** 著30条の4第2号 **のためであれば必要な範囲で他人の著作物を原則として無許諾で利用できる**ことになっています。そして、AIの開発は「情報解析」に該当することから、当該AI開発のために必要な範囲であれば、他人の著作物を原則として無許諾で利用することができます。

　この「AI開発・学習」は様々なフェーズで行われます。右図は、AIの開発や利用に関する「AI開発者」「AIサービス提供者」「AI利用者」それぞれにおける著作物の利用行為を整理したものですが、そのうち黄色部分が「AI開発・学習」に関する部分です。「❶ AI開発者による学習」においては、大規模な基盤モデルを開発するために大量の（数十億以上の）著作物の利用行為が行われます。真ん中の「❷ AIサービス提供者による学習」においては、基盤モデルを利用してさらに追加的なデータによる追加学習が行われます。一番下の「❸ AI利用者による学習」においては、少数の追加学習データを利用した追加学習が行われることがあります。

　これら各フェーズにおける学習の規模や対象著作物の種類は様々ですが、**いずれのフェーズにおけるAI開発・学習行為にも著作権法30条の4が適用され、原則として適法となります。**

◉ AI開発・学習と著作権侵害

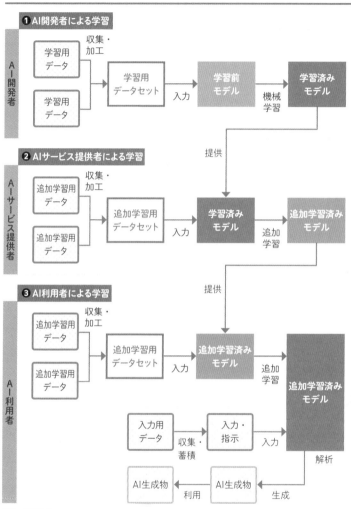

出典：著者作成

> **まとめ**
>
> □ AI開発・学習のためであれば、「AI開発者」「AIサービス提供者」「AI
> 利用者」いずれのフェーズにおけるかを問わず、著作権法30条の4に
> 基づき、原則として著作物を自由に利用することができる

「著作権法30条の4」の導入により
何が変わったのか

●AI 関係者が押さえるべき著作物利用範囲の変更

　著作権法 30 条の 4（P.122 参照）は、平成 30 年の著作権法改正で
導入されましたが、それ以前にも著作権法に同趣旨の条文（情報解
析のための複製等 改訂前著47条の7 ）はありました。しかし今後の技術
進展を踏まえ、AI 開発等、大量の情報を集積し、組み合わせ、解析す
ることで付加価値を生み出すイノベーション創出を促進するという
観点から現行著作権法 30 条の 4 に改正され、AI 開発のような情報
解析目的の著作物の利用範囲が大幅に拡大されています（右図参照）。

　まず、改正により「情報解析」の定義が拡大され、**「情報解析」**
に機械学習・深層学習も含まれることが明確化されました。

　また、自ら情報解析を行う場合だけでなく**情報解析を行う第三者**
のために著作物を利用することも可能になりました。これにより、
情報解析を行う第三者のために学習用データセットを作成すること
や、情報解析を行う複数事業者間で学習用データセットを共有する
ことも許容されるようになりました。

　最後に、**許容される著作物の利用行為の範囲が広く**なりました。
改正前 47 条の 7 では「記録媒体への記録または翻案（これにより
創作した二次的著作物の記録を含む。）」としか規定されていなかっ
たため、学習用データセットの譲渡や公衆送信などはできませんで
した。一方、現 30 条の 4「いずれの方法によるかを問わず、利用す
ることができる。」と利用行為の制限が外れました。

　一方、著作物の利用が例外的に許容されない**「ただし書」の内容**
も変更されました。その内容については現在議論が続いています。

●「著作権法30条の4」改正 4つのポイント

ポイント1 「情報解析」に機械学習・深層学習も含まれることが明確化された

改正前　47条の7：「比較、分類その他の統計的な解析」

現　　　30条の4：「比較、分類その他の解析」

➡ 「情報解析」の定義から「統計的な」が外れたことにより、「情報解析」に機械学習・深層学習も含まれることが明確化された

ポイント2 自ら情報解析を行う場合だけでなく情報解析を行う他人のために
著作物を利用することも可能になった

改正前　47条の7：「……を行うことを目的とする場合には」

現　　　30条の4：「……の用に供する場合」

➡ 情報解析を行う他社のために学習用データセットを作成することや、情報解析を行う複数事業者間で学習用データセットを共有することも許容されるようになった

ポイント3 許容される著作物の利用行為の範囲が広くなった

改正前　47条の7：「記録媒体への記録または翻案（これにより創作した二次的著作物の記録を含む。）」

現　　　30条の4：「いずれの方法によるかを問わず、利用することができる。」

➡ 公衆への譲渡、公衆送信等の利用行為も権利制限の対象となり、たとえば、情報解析を行った者が解析終了後のデータセットを、情報解析を行う他人に送信したり譲渡したりすることも許容されるようになった

ポイント4 ただし書の内容が一般的なものとなった

改正前　47条の7：「情報解析を行う者の用に供するために作成されたデータベースの著作物（の利用行為）」

現　　　30条の4：「当該著作物の種類及び用途並びに当該利用の態様に照らし著作権者の利益を不当に害することとなる場合」

➡ ただし書の内容が一般的なものとなったが「情報解析を行う者の用に供するために作成されたデータベースの著作物（の利用行為）」以外にどのような行為がただし書に該当するかは議論が続いている

まとめ □ 平成30年の著作権法改正により、現行「著作権法30条の4」が導入され、AI開発のような情報解析のために著作物を利用できる範囲がかなり広がった

生成AIにおける「学習」と
「著作権法30条の4」の限界

● AI 学習であればすべて適用されるわけではない

　生成 AI も AI の一種なので、生成 AI における「学習」が著作権法 30 条の 4 の「情報解析」に該当すれば、当該「情報解析」のために必要な著作物の利用行為は原則として自由に行うことができます。

　ここでいう生成 AI の「学習」には、大規模言語モデル（LLM）や画像生成 AI における事前学習は当然含まれます。また、生成 AI を利用したサービスを提供する事業者やユーザーが行うファインチューニングや LoRA のような小・中規模な学習行為も含まれます（P.123 参照）。

　ただし、AI 学習行為に必要な著作物利用行為であればすべて 30 条の 4 が適用されるわけではありません。たとえば、生成 AI のうち、学習に利用した著作物の全部または一部をそのまま出力することを目的とする AI を開発するようなケースでは適用されません。これは、「情報解析」以外に学習対象著作物の享受目的（最終的に、学習に利用した著作物の全部または一部を出力する目的）が併存している場合には、30 条の 4 が適用されないためです。

　もっとも、学習に利用した著作物の一部を出力するようなタイプの AI の場合であっても、その「一部の出力」が「軽微利用」に該当する場合には「学習」行為について著作権法 47 条の 5 第 2 項により適法になる可能性があります。

　つまり、**生成 AI の開発に必要な著作物の利用行為を適法化するための根拠は、30 条の 4 と 47 条の 5 第 2 項の 2 つがある**ことになります。具体的な判断フローチャートは右図を参照してください。

● AIの開発・利用とそれに伴う著作物の主な法定利用行為

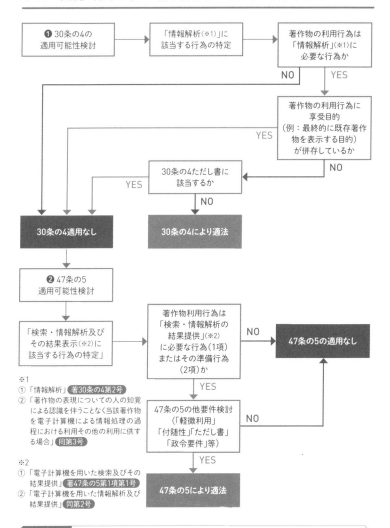

❶ 30条の4の適用可能性検討 → 「情報解析(※1)」に該当する行為の特定 → 著作物の利用行為は「情報解析」(※1)に必要な行為か

NO / YES

著作物の利用行為に享受目的
(例:最終的に既存著作物を表示する目的)
が併存しているか

YES / NO

30条の4ただし書に該当するか

YES / NO

30条の4適用なし

30条の4により適法

❷ 47条の5適用可能性検討

「検索・情報解析及びその結果表示(※2)に該当する行為の特定」

著作物利用行為は「検索・情報解析の結果提供」(※2)に必要な行為(1項)またはその準備行為(2項)か

NO → **47条の5の適用なし**

YES

47条の5の他要件検討
(「軽微利用」「付随性」「ただし書」「政令要件」等)

NO → 47条の5の適用なし

YES

47条の5により適法

※1
① 「情報解析」 著30条の4第2号
② 「著作物の表現についての人の知覚による認識を伴うことなく当該著作物を電子計算機による情報処理の過程における利用その他の利用に供する場合」 同第3号

※2
① 「電子計算機を用いた検索及びその結果提供」 著47条の5第1項第1号
② 「電子計算機を用いた情報解析及び結果提供」 同第2号

まとめ

☐ 学習に利用した著作物の全部または一部を出力するようなタイプのAIの場合、著作権法30条の4は適用されない

☐ AI学習を適法化する著作権法上の条文は30条の4だけではなく同47条の5第2項もある

127

無許諾でAI学習に利用できない例外を定めた「著作権法30条の4ただし書」

● 著作権者の利益を不当に害する場合は利用できない

　AI学習の「情報解析」のためであれば原則として著作物を無許諾で利用できることはすでに述べましたが、30条の4にはそのただし書において例外が定められています（著30条の4柱書ただし書）。

　現時点で、ただし書に明確に該当すると整理されているのは、「**大量の情報を容易に情報解析に活用できる形で整理したデータベースの著作物が販売されている場合に、当該データベースを情報解析目的で複製等する行為**」ですが（右上図参照）、それが具体的にどのような行為を意味するのか、そしてそれ以外にどのような行為がただし書に該当するかは激しい議論がなされています（文化審議会著作権分科会法制度小委員会「AIと著作権に関する考え方」参照※）。

　たとえば、「データベース著作物からデータを取得できるAPIが有償で提供されている場合において、当該APIを有償で利用することなく、当該ウェブサイトに閲覧用に掲載された記事等のデータから、当該データベースの著作物の創作的表現が認められる一定の情報のまとまりを情報解析目的で複製する行為」がただし書に該当するかなどです。

　それ以外にも、「特定の作家の作風を再現するためのAIモデルを作成するために、当該作家の作品のみを集中的に学習に用いる行為」「海賊版等の権利侵害複製物」「学習禁止意思が付されている著作物」「学習を防止するための技術的な措置が付されている著作物」などについて学習に用いることがただし書に該当するか、などが議論されています（右下図参照）。

※ https://www.bunka.go.jp/seisaku/bunkashingikai/chosakuken/pdf/94037901_01.pdf

●「著作権法第30条の4ただし書」にあたる行為

「著作権者の利益を不当に害することとなる場合※」は、本条（著30条の4）の規定の対象とはならない

情報解析用データベースのライセンス市場

著作権者

↑ライセンス料

情報解析用の
データベースの著作物

利用許諾

利用者（AI開発者など）

情報解析用としてのライセンス市場が成り立っている著作物を、権利制限規定により許諾なく情報解析用に利用できるとしてしまうと、**著作権者の利益を不当に害するおそれ**

▼

ただし書に該当し、法30条の4の対象外

出典：令和5年度著作権セミナー「AIと著作権」
文化庁著作権課講義資料より作成
https://www.bunka.go.jp/seisaku/
chosakuken/93903601.html

※ たとえば、情報解析用に販売されているデータベースの
著作物をAI学習目的で複製する場合など

●「著作権法30条の4ただし書」に該当するかが問題となる事例

例）特定の作家の作風を再現するためのAIモデルを作成するために、
当該作家の作品のみを集中的に学習に用いる行為

➡ 「作風」は通常はアイディアであり、作風模倣目的があるとしても表現の享受目的が併存しているとはいえないため、ただし書に該当しない（「考え方」20 ～ 21ページ）ただし当該「作風」が「アイディア」なのか「創作的表現」なのかの区別は困難。

例）海賊版等権利侵害複製物を学習に用いる行為

➡ 諸外国の法制と異なり、日本の著作権法の30条の4の下では適法と思われる。ただし一定の場合には、AI開発者が当該海賊版と同一・類似の生成物の生成・利用行為について責任を問われる場合がある（「考え方」28ページ）

例）学習禁止意思が付されている著作物を学習に用いる行為

➡ そのような意思表示があることによって30条の4の適用がない（あるいは30条の4柱書ただし書に該当する）と解釈することはできない（「考え方」25 ～ 26ページ）

例）学習を防止するための技術的な措置（robots.txtへの記載など）が付されている著作物について、当該措置を回避して学習に用いる行為

➡ 諸外国の法制と異なり、日本の著作権法の30条の4の下では適法と思われる

まとめ

☐ 30条の4ただし書に該当する場合は著作物を利用できない
☐ 現時点において30条の4ただし書に、どのような行為が該当するか激しく議論がなされている

AI開発・学習とライセンス処理

● ウェブ上の情報を利用する際、何が問題となるか

　既存著作物をAI学習に利用する場合の問題点は著作権法だけでなく、**利用規約へ同意したかどうか**が問題となることがあります。たとえば「複数のウェブサイトからテキストデータをクローリングして学習用データセット及び学習済みモデルを生成して同モデルを販売する行為を行った。収集対象となったテキストデータが掲載されているウェブサイトの中には利用規約がないものや、利用規約があり、かつ『本サイト上のデータはAI学習への利用は不可』と記載されているものもあった。」というような事例を考えてみましょう。

　上記事例の行為は、著作権法30条の4「情報解析」のために必要な著作物の利用行為なので、著作権法上は問題がありません。

　もっとも、利用対象となっているデータを収集する際に、何らかの契約（利用規約）に同意をしている場合、その**契約内容（ライセンス内容）に拘束される可能性**があることには注意が必要です。これは著作権法違反に該当するか否かとは別の、契約違反の問題です。

　「契約違反」に該当するためにはそもそも契約が成立していなければなりません。一対一で個別に交渉して契約を締結した場合や利用規約に個別に同意している場合に当該契約は有効に成立することは明らかですが、それ以外の場合に契約が成立したといえるかは難しい問題があります。また、それ以外にも「そもそも権利制限規定を上書き（オーバーライド）する契約は有効なのか」「ライセンス違反に対してどのような請求ができるか」なども問題となります（右図参照）。

● AI開発におけるライセンス処理の考え方

論点①

どのような場合に「契約が成立した」といえるのか

- ウェブ上のデータを閲覧・利用するに対して、利用規約がわかりやすく表示されており、利用規約に同意するボタンが設置されていて同ボタンをクリックしないとデータを閲覧・利用できない場合には、当該利用規約(契約)が成立している可能性が高い
- 「サイトを閲覧・利用しただけで利用規約に同意したものとみなす」という利用規約しか存在しないウェブサイトの場合、利用規約(契約)が成立しているとはいえない可能性が高い

論点②

そもそも著作権法上の権利制限規定を
上書き(オーバーライド)する契約は有効なのか

- 明確な結論は出ていない
- 著作権法30条の4を上書きする契約の有効性については、そのような契約は無効であるとする説と有効であるとする説の両方がある
- また、30条の4を上書きする全ての契約を無効とするのではなく、「AI学習等のための著作物の利用行為を制限するオーバーライド条項」についてのみ、その範囲において、公序良俗に反し、無効とされる可能性が相当程度あると考えられるとする説もある

論点③

当該契約(ライセンス)に違反した場合に、
差止請求や刑事告訴ができるか

- 契約(ライセンス)に違反したとしても著作権侵害には該当しないため、差止請求や刑事告訴は不可能
- 著作権侵害と契約違反とを比較した場合、前者は後者と比較して権利者に有利な点が多々あり(例:(故意の場合)刑事罰がある」「差止請求権がある」「損害賠償の推定規定がある」等)、両者の区別は重要

| まとめ | ☐ 既存著作物を利用する場合には著作権法だけでなく、契約(ライセンス)にも注意しなければならない |
| | ☐ ウェブ上のデータをAI学習に利用する場合、実際には当該データ利用に関する利用規約(契約)が成立しているかが問題になることが多い |

RAG（検索拡張生成）と 著作権侵害

● RAG と、RAG に第三者の著作物を使用する際のポイント

　顧客向けチャットボットや、社内FAQ等で生成AIを利用する場合、大規模言語モデル（LLM）をそのまま利用すると回答精度が十分でなかったり、回答の根拠が明示できないという問題があります。その場合に利用される手法の1つが **RAG（Retrieval Augmented Generation、検索拡張生成）** です。

　RAGとは、あらかじめ社内文書や書籍、ウェブページ等の外部データをデータベース（DB）として準備しておき、ユーザーからの質問がなされた場合には、当該質問と関連性が高い外部データを検索し、その外部データを質問文に付加してLLMに入力することで、精度が高い、かつ実際の外部データに紐付いた回答を生成することができるシステムです（構成は右上図参照）。

　RAGにおいては、第三者が著作権を有する著作物をデータベースに蓄積し、LLMに入力することがあります。このような行為を著作権者に許諾なく行った場合、著作権侵害に該当しないかが問題となりますが、権利制限規定として著作権法30条の4や47条の5が適用されれば適法となります（P.126参照）。

　適法になるかのポイントは、RAGの出力結果として、入力に用いられた第三者著作物が出力されるか否か、そして出力の程度です（詳細は右下表参照）。たとえば、顧客向けチャットボットや、社内FAQ等で出力される回答において、根拠となるウェブページの記載の全文ではなくそのリンクのみが表示されるタイプのRAGであればタイプ3のRAGとして適法です。

● RAGのシステム構成

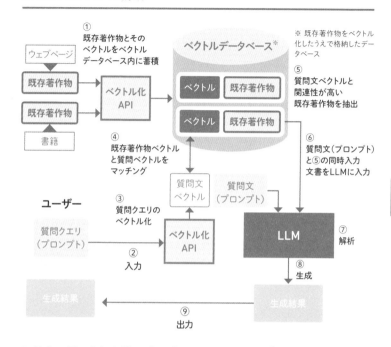

① 既存著作物とその
ベクトルをベクトル
データベース内に蓄積

ベクトルデータベース※

※ 既存著作物をベクトル
化したうえで格納したデー
タベース

⑤ 質問文ベクトルと
関連性が高い
既存著作物を抽出

⑥ 質問文（プロンプト）
と⑤の同時入力
文書をLLMに入力

④ 既存著作物ベクトル
と質問ベクトルを
マッチング

③ 質問クエリの
ベクトル化

② 入力

⑦ 解析

⑧ 生成

⑨ 出力

● 入力に用いられた第三者の著作物の出力タイプによる適法の違い

入力に用いられた第三者の 著作物が出力される度合い	著作権 侵害	説明
全部が頻繁に出力される （タイプ1）	✕※	利用対象著作物の「享受目的」があるため、30条の4第2号は適用されず、「軽微利用」にも該当しないため、47条の5も適用されない
一部のみが出力される （タイプ2）	△	RAGの出力結果として、利用対象となった著作物の「軽微利用」 47条の5第1項 の範囲で出力されるのであれば47条の5第1項・同2項によって適法になる可能性あり
全く出力されない （タイプ3）	○	著作物の蓄積行為・LLMへの入力行為は「情報解析」に必要な行為として30条の4第2号により適法

※「引用」等、他の権利制限規定が適用されない場合

まとめ

□ RAGについては、出力結果として、入力に用いられた第三者著作物が出力されるか否か、そして出力の程度によって30条の4または47条の5が適用されて適法となる余地がある

生成AIの利用による著作権侵害

●生成AI利用者が既存著作物の著作権を侵害する可能性

　生成AIを利用してAI生成物を生成・利用することが、既存著作物の著作権侵害に該当することがあります。80ページで述べたように、**著作権侵害が成立するのは、AI生成物と既存著作物との間に①類似性と②依拠性がある場合**です。生成AIを利用した著作権侵害の場合、特に「②依拠性」があるかの判断が難しいといえます。この点については、ユーザーが既存著作物を認識しているか、既存著作物が学習用データセットに含まれているかなどによって結論が異なります。詳細は右上のフローチャートを参照してください。

　たとえば、生成AIに既存のマンガのキャラクターAの立ち絵を入力して、異なるポーズをとったキャラクターAの画像を作成し（**Image to Image**）、当該画像をインターネットに公開した場合（右下図参照）は、ユーザーが既存著作物を認識しつつ類似物を生成・利用しているので、類似性及び依拠性を満たし（右上フローチャート①がYES）、明らかに著作権侵害に該当します。なお、この場合、30条の4や47条の5はいずれも適用されず、適法となる余地はありません。

　もっとも、このような「依拠性」を直接証明することは通常困難です。そのため、①既存著作物が世の中によく知られている著作物であるか、②当該既存著作物とAI生成物の高度な類似性があるか、③少ない試行回数で類似度が高い表現が生成されるか、などを総合的に考慮することになります。

　これら①②③が肯定される場合、「依拠性」が肯定される可能性が非常に高くなります。

● 著作権侵害で依拠性があるかの判断フローチャート

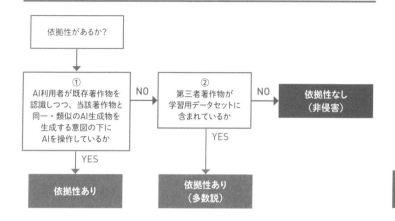

● 既存のマンガキャラクターAを入力し生成AIで画像を生成した場合

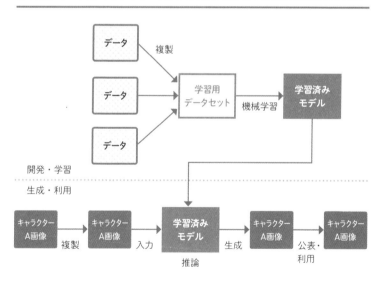

まとめ	□ 生成 AI を利用した AI 生成物の生成・利用が著作権侵害に該当するかは、「類似性」「依拠性」があるかによって決まる □ 依拠性の判断に際しては、様々な事情を総合的に考慮することになる

画像生成AIにおけるLoRAと著作権侵害

● LoRA によって作風を模倣しても違法とならない

LoRA (Low-Rank Adaptation) とは、AI モデル内のパラメーターの一部だけを更新（追加学習）する手法の一つです。ここでは、画像生成 AI における LoRA を対象とします。

AI 利用者が画像生成 AI における LoRA において、特定の作品や特定の作家の作品のみを追加学習に利用する行為は著作権侵害に該当しないのでしょうか。

LoRA における著作物の利用行為は、AI の「**追加学習**」という情報解析のために行われる行為ですから、30 条の 4 により**原則として適法**となります。この結論は、仮に、当該 LoRA が特定の作品や特定の作家の「作風」の模倣のみを目的としている場合でも当てはまります。著作権法が保護しているのはアイディアではなく「表現」ですが、作風はあくまで「アイディア」に過ぎないからです。

一方、いわゆる「過学習」（overfitting）を意図的に行い、単なる「作風」の模倣を超えて、**学習用データをそのまま出力させることを目的としている LoRA の場合**、「情報解析」の目的に加えて、学習利用対象著作物の表現を出力する目的（「**享受目的**」）がありますので、30 条の 4 は適用されず、違法（著作権侵害）となります（右図参照）。

実際にそのような「享受目的」があるか否かは、生成・利用段階において、学習対象著作物に類似した生成物の生成が頻発するか否かによって判断されることになるでしょう。

● LoRAに学習対象著作物の享受目的がある場合

「著作物の利用行為」の際に「情報解析」の目的以外に「対象著作物の享受」の目的も併存している場合には30条の4は適用されない

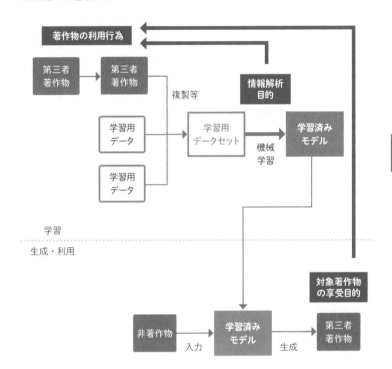

まとめ

☐ 画像生成 AI における LoRA においては、「作風」の模倣目的であれば 30 条の 4 が適用されて適法となるが、特定の著作物の出力目的がある場合には 30 条の 4 は適用されず違法となる

生成AIによる「偶然」の
類似物生成と著作権侵害

● 依拠性の有無が問題になる

　右上図のように、生成 AI のユーザーが Image to Image の方式
で既存著作物を「認識しつつ」類似する AI 生成物を生成・利用し
た場合には著作権侵害になります（P.134 参照）。

　では、右下図のように、あるユーザーが、一般公開されている画
像生成 AI サービスを利用して AI 生成物を生成・利用したところ、
当該 AI 生成物が、学習に利用された既存著作物と「偶然」同一・
類似だった場合、当該ユーザーの行為は著作権侵害に該当するので
しょうか。この場合、右上図の事例と異なり、ユーザーは既存著作
物を認識していません。このような場合にユーザーの行為が著作権
侵害に該当するとすると、ユーザーに酷のようにも思えます。

　もっとも、学習用データセット内に含まれている既存著作物の類
似生成物が生成された場合、ユーザーが既存著作物を認識していよ
うがいまいが、依拠性は肯定され著作権侵害に該当するというのが
多数説です。

　これは、既存著作物が学習に利用されている以上、当該学習用デー
タが AI モデルの中でパラメータ化されているとしても、なお依拠
性は存在することを根拠としています（ただし、この説に立つ場合
でも、ユーザーには著作権侵害の故意・過失がないことからユーザー
が受けうる措置は差止請求のみと思われる）。

　もっとも、この点について有力な反対説もあり、今まで裁判で争
われた例がないことから、司法判断が下されるまでははっきりした
ことはいえないと思われます。

● 既存著作物を「認識しつつ」類似するAI生成物を生成

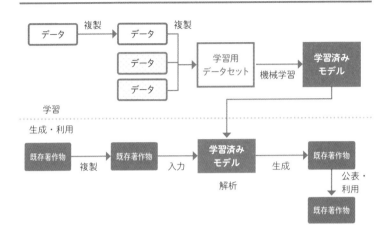

● 既存著作物と「偶然」類似したAI生成物と著作権侵害

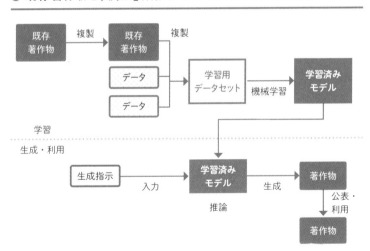

まとめ

☐ 学習用データに含まれた第三者の著作物と同一・類似の AI 生成物をユーザーが「偶然」生成・利用した場合でも、著作権侵害に該当する可能性が高い

139

AI生成物に著作物性が
認められるか

● 生成AIを用いた作品やエンタメコンテンツを守れるか

　生成AIを利用して生成されたAI生成物に著作物性が認められるかについては、AI生成物をビジネスに利用しようとする際にシビアな問題となります。仮にAI生成物に著作物性が認められないとすると、それらの生成物を第三者が模倣し放題になってしまうからです。

　AI生成物に著作物性が認められるかは、当該AI生成物を生成したユーザー（人間）に、「**創作意図**」と「**創作的寄与**」があるかによって判断されます。この「創作的寄与」については、単純に試行錯誤の回数が多い（額の汗）だけでは足りず、指示・入力（プロンプト等）の分量・内容、生成の試行回数、複数の生成物からの選択、生成後の加筆・修正等の要素を加味して「創作的寄与」の有無が判断されると思われます。

　たとえば、①AI生成物を生成するにあたって、プロンプトとして創作的表現といえるものを具体的に示す詳細な指示をする場合、②AI生成物を確認し指示・入力を修正しつつ、試行を繰り返す場合などは、著作物性が認められる可能性が高くなります。また、もともと自分が著作権を有するコンテンツ（イラストや文章）を生成AIに入力しその類似物を生成させる場合には、AI生成物は入力コンテンツの類似物ですから、生成物に著作権が発生するでしょう。

　現時点で、AI生成物に著作物性を持たせるには、実務的には、「**生成後の加筆・修正を行うこと**」が非常に重要と思われます。人間が、AI生成物全体について、創作的表現といえる加筆・修正を加えた場合には、AI生成物について著作物性が認められるためです。

● AI生成物と著作物性

人
による
創作
自然人

生成

創作物

権利が発生

AI
による
創作

指示※

※ AIは創作本能を持たないと現在のところいわれており、人間からの「○○を作って」という働きかけは必要と考えられる

生成

生成物

・音楽
・絵画／イラスト
・短編小説／シナリオ
・デザイン　等

権利は
発生しない

人工知能による生成物＝AI創作物

AIを
道具として
利用した
創作

自然人

①創作意図 及び
②創作的寄与

生成

生成物

権利が発生

まとめ	□ AI 生成物に著作物性が認められるには「創作的寄与」があることが必要
	□ 具体的には、指示・入力（プロンプト等）の分量・内容、生成の試行回数、複数の生成物からの選択、生成後の加筆・修正などの要素を加味して判断される

日本国著作権法の適用範囲は
利用行為地で決まる

● 国をまたいだAIの開発と日本国著作権法

　日本国著作権法30条の4が適用されると、AI開発のための著作物の利用行為が相当広い範囲で適法となりますが、国をまたいだ開発でも日本国著作権法が適用されるかというご相談をいただきます。

　この点については、当該著作物の**「利用行為地」がどこか**によって判断することとなります。右図パターン❶では日本国著作権法の適用は当然ですが、以下の2パターンで問題になることが多いです。**日本国外に所在するウェブサーバで公開されているデータを、日本国内の作業者が、日本国内に所在するサーバに収集して学習に利用する場合（右図パターン❷）** …この場合は、著作物の利用行為がすべて日本国内で行われているため、日本国著作権法が適用されます。**上記事例において、収集・学習に利用するサーバが日本国外に所在する場合（右図パターン❸）** …この場合について確定した見解はありません。サーバは日本国外に所在しますが、日本国内に作業者が所在しているため、日本の事業者が日本において実質的な収集・学習作業を行っていることになります。この場合日本が利用行為地と捉えられ、日本の著作権法が準拠法として適用されることになると思われます。

　なお、この問題は、あくまで「利用行為地」が日本国内か否かの問題であって、当該著作物の著作権者が日本の企業なのか外国の企業なのかは無関係です。したがって外国の企業（あるいは個人）が著作権を有する著作物についても、当該著作物の**利用行為地が日本国内であれば著作権法30条の4は適用**され、適法となります。

● 日本国著作権法が適用されるパターン

パターン ❶

パターン ❷

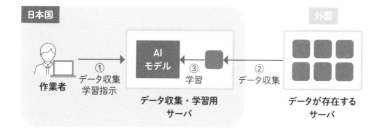

パターン ❸

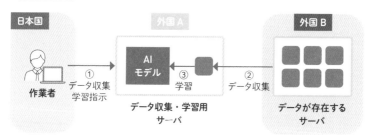

まとめ	□ AI開発のための著作物利用行為に日本国著作権法が適用されるかは、著作物の「利用行為地」がどこかによって決まる

付録
契約書ひな形

●著作権譲渡に関する条項を含む業務委託契約書

さまざまなコンテンツ制作において著作権の譲渡が行われることがあります。ここでは、Webサイトでの利用を想定して個人のカメラマンに写真撮影を委託する場合の契約書のひな形を紹介します。

撮影業務委託契約書

甲野太郎（以下「甲」という。）と写真家である乙野花子（以下「乙」という。）とは、甲が乙に写真撮影業務を委託するにあたり、以下のとおり撮影業務委託契約（以下「本契約」という。）を締結する。

第1条（委託）

甲は、乙に対し、以下の写真（以下「本著作物」という。）の撮影業務（以下「本件業務」という。）を委託し、乙はこれを受託した。

(1) テーマ：桜並木を歩く甲のポートレート写真

(2) 形　式：jpeg 形式

(3) 枚　数：10 枚

> 本件業務の内容について規定した条項です。今回は写真撮影なので、ファイル形式や納入枚数については記載するのがベターです。

第2条（納入）

1　乙は甲に対し、本著作物を、2024 年 6 月末日までに、ダウンロード URL を甲に共有する方法で納入する。

> 納入物・納入期日・納入方法は必ず記載してください。

2　甲は、前項の納入を受けた後速やかに納入物が本契約の内容に適合する

か否か検査し、検査結果を納入後1週間以内に乙に通知する。

3　乙は、甲から検査不合格通知をされた場合には、速やかに甲の指示に従った対応をする。

4　甲から検査の合格通知が乙にされた時点で、本件業務が完了したものとする。

第3条（対価）

　甲は、乙に対し、本件業務の対価として、金 ＿＿＿＿＿＿＿＿＿＿ 円（消費税込）を、本件業務の完了日が属する月の翌月末日までに支払う。

第4条（権利の帰属）

1　本著作物の著作権（著作権法第27条及び第28条に規定する権利を含む。）は、本件業務の完了時点で甲に移転する。

> 著作権法第27条（翻案権）と第28条（二次的著作物の権利）の権利は、契約書に明記しない限り移転しません 著61条2項 。今回はWebサイトでの利用を想定しており、写真のトリミング等の加工がされる可能性もあるため、明記しています。このカッコ内の記載がないと、甲野さんは写真の加工についてその都度乙野さんに許諾を得なければならず、写真の加工が自由に行えなくなる可能性があります。

2　乙は、甲による本著作物の利用に対して、著作者人格権を行使しない。

> 今回はウェブサイトでの利用を想定しており、同一性保持権 著20条 に抵触する写真の加工がされる可能性もあるため、著作者人格権を行使しない内容で契約を締結しています。

第5条（保証）

　乙は、甲に対し、本著作物が第三者の著作権その他の権利を侵害しないことを保証する。

> 本著作物が第三者の権利を侵害していると、甲野さんがWebサイトで本著作物を利用できなくなりますので、写真家である乙野さんに対して、本著作物が第三者の権利を侵害していないことを約束してもらっています。

第6条（契約不適合責任）

　本件業務が完了した後、本著作物が本契約の定めに違反しその他本契約の内容に適合しないことが判明した場合、甲は、本件業務の完了日から1年以内にその旨を乙に対して通知した場合に限り、履行の追完の請求、代金の減額の請求、損害賠償の請求及び契約の解除をすることができる。

　　　本件業務が完了した後に、本著作物が本契約に違反していたことが判明する場合があります。民法上は、違反を「知った時」から1年以内であれば履行の追完の請求等を行えます 民566条 。しかし、「知った時」を基準とすると納品後に写真家側に予期せぬ負担が発生する場合もあるため、公平性の観点から、請求期限を「本件業務の完了日から1年」で区切っています。

第7条（裁判管轄）

　甲及び乙は、本契約に関して紛争が生じた場合には、東京地方裁判所を第一審の専属的合意管轄裁判所とすることを合意する。

　　　今回は甲野さん・乙野さんともに東京在住のため、東京地方裁判所を専属的合意管轄としています。当事者の住所地に近い裁判所のほか、「被告の本店所在地を管轄する地方裁判所」と指定される例も多いです。

本契約締結の証として、本契約書2通を作成し、甲乙記名捺印の上、各自1通を保持する。

　　　　　　　年　　　月　　　日　　　契約締結日を記載してください。

甲　住所　東京都千代田区○○

　　氏名　甲野太郎　　　　　　　　　印

乙　住所　東京都練馬区○○

　　氏名　乙野花子　　　　　　　　　印

●著作物ライセンス契約書

　著作物は、著作権自体を移転させることなく、その利用のみを許諾（ライセンス）することも可能です。ここでは、著作権は移転させずに、Webサイトの素材として写真を利用することを許諾するライセンス契約書の例を紹介します。

著作物ライセンス契約書

甲野太郎（以下「甲」という。）と写真家である乙野花子（以下「乙」という。）とは、乙が著作権を保有する著作物の利用許諾に関し、以下のとおりライセンス契約（以下「本契約」という。）を締結する。

第1条（利用許諾）
1　乙は、甲に対し、写真（作品名：桜並木を歩く女性 ①。以下「本著作物」という。）について、本条各号の行為を行うにあたり、本著作物を利用することを非独占的に無期限で③許諾する。

② ┌─
　(1) Web サイト制作における素材として使用すること（本著作物をトリミング、回転、色調補正その他一切の加工をする行為を含む。）
　(2) 本著作物が含まれる Web サイトをインターネットにおいて公開すること

　利用許諾契約においては、利用許諾の対象となる著作物、具体的な利用許諾の行為、利用許諾の期間、利用許諾の対価などを特定して記載することが多いです。記載方法に決まりがあるわけではありませんが、今回は、①作品名で利用許諾の対象となる著作物を特定し、②具体的なケースを列挙することで使用行為を特定しました。
　また、③許諾期間については無期限としました。ここでの「非独占的」とは、甲野さんの他にも本著作物の利用許諾を受ける者がいることを指します。対義語は「独占的」です。

2　乙は、前項の甲の利用に対し、著作者人格権を行使しない。

　　　今回は Web サイトでの利用を想定しています。本条 1 項では、Web サイ
　　　ト制作における素材として写真の加工も含めた許諾がされていますが、こ
　　　の許諾は著作権（著作財産権）についての許諾ですので、著作者人格権
　　　については別途記載する必要があります。今回は、甲野さんが都度乙野さ
　　　んの許諾をとる必要のないように、著作者人格権を行使しない内容で契約
　　　を締結しています。

第2条（納入）

　乙は甲に対し、本著作物を、2024 年 6 月末日までに、ダウンロード URL
を甲に共有する方法で納入する。

　　　納入物・納入期日・納入方法は必ず記載してください。

第3条（対価）

　甲は、乙に対し、本著作物の利用の対価として、金 ＿＿＿＿＿＿＿ 円（消
費税込）を、本著作物の納入日が属する月の翌月末日までに支払う。

　　　今回は、許諾の対価（ロイヤリティ）を一括払いとする内容です。契約によっ
　　　ては、月額決まった金額を支払う内容であったり、ライセンス対象の著作物
　　　を使用した製品の売上額あるいは利益をベースに一定のパーセンテージを
　　　乗じた額となったりすることもあります。

第4条（保証）

1　乙は、甲に対し、本著作物が第三者の著作権その他の権利を侵害しない
ものであることを保証する。

　　　本著作物が第三者の権利を侵害していると、甲野さんが Web サイトで本著
　　　作物を利用できなくなりますので、本著作物の著作権者である乙野さんに、
　　　本著作物が第三者の権利を侵害していないことを約束してもらっています。

2　乙は、第三者から本著作物が当該第三者の権利を侵害している旨申出が

あった場合、速やかに甲に通知するものとし、乙の費用と責任をもって対応する。当該第三者の申出によって甲に損害が生じた場合には、乙は、かかる損害を賠償する。

> 第三者から、「本著作物は私の権利を侵害している」と申出されるケースがあります。このような場合には、著作権者である乙野さんに責任をもって対応してもらう必要があるとともに、甲野さんに損害が生じた場合には、当該損害を賠償する義務がある旨記載しました。

第5条（裁判管轄）
　甲及び乙は、本契約に関して紛争が生じた場合には、東京地方裁判所を第1審の専属的合意管轄裁判所とすることを合意する。

本契約締結の証として、本契約書2通を作成し、甲乙記名捺印の上、各自1通を保持する。

　　　　　　　年　　　月　　　日　　　　　　契約締結日を記載してください。

甲　住所　東京都千代田区〇〇
　　氏名　甲野太郎　　　　　　　　印

乙　住所　東京都練馬区〇〇
　　氏名　乙野花子　　　　　　　　印

Index

記号・アルファベット

© マーク ……………………………………… 46
AI …………………………………………… 120
AI 開発・学習 ……………………………… 122
AI 生成物 ……………………………… 120, 140
Apache License …………………………… 88
CC ライセンス ……………………………… 86
Copyright ………………………………… 32
GPL ………………………………………… 88
Image to Image …………………… 134, 138
JASRAC …………………………………… 112
LLM ………………………………………… 126
LoRA ………………………………… 126, 136
Low-Rank Adaptation …………………… 136
MIT License ……………………………… 88
NFT コンテンツ …………………………… 116
OSS ………………………………………… 88
RAG ………………………………………… 132
Retrieval Augmented Generation …… 132
SNS ……………………………………… 53, 96
Twitter ……………………………… 98, 100
X …………………………………… 98, 100

あ行

アイディア ……………………………… 12, 16
アップロード禁止権 ……………………… 34
アルゴリズム ………………………………… 38
依拠性 ……………………………………… 80
育成者権 …………………………………… 12
意匠権 ……………………………………… 12
インターネット …………………………… 52
引用 …………………………… 58, 60, 118
引用リツイート ……………………………… 98
映画の著作物 ……………………… 23, 39
演奏権 ……………………………………… 32
応用美術 …………………………………… 44
オークション ……………………………… 66
オープンソースソフトウェア ………… 88
屋外アート作品 ………………………… 102
音楽の著作物 ……………………………… 39

か行

海賊版の差し止め …………………………… 42
過学習 …………………………………… 136
楽譜 ………………………………………… 53
画像生成 AI ……………………………… 136
学校の教育 ………………………………… 64
キャッシュ ………………………………… 50

享受目的 ………………………………… 136
共同著作物 ………………………………… 84
業務委託契約書 ………………………… 144
禁止権 ……………………………………… 32
クリエイティブ・コモンズ・ライセンス …… 86
芸術品 ……………………………………… 66
軽微利用 ………………………………… 110
ゲームソフト ……………………………… 18
結合著作物 ………………………………… 84
言語の著作物 ……………………………… 39
検索エンジン …………………………… 110
検索拡張生成 …………………………… 132
建築の著作物 ……………………… 39, 102
原著作物 …………………………………… 20
検討過程 …………………………………… 62
原盤 ……………………………………… 112
権利帰属 …………………………………… 22
権利処理 …………………………………… 72
権利制限規定 ………………… 48, 50, 52
権利の束 …………………………………… 30
考案 ………………………………………… 12
公衆送信 …………………………… 34, 56
公衆送信権 ………………………………… 32
公表権 ……………………………………… 18
国立国会図書館 …………………………… 56
コピー ……………………………… 52, 56, 64
コピーライト表記 ………………………… 46

さ行

サービス …………………………………… 12
サービス利用規約 ……………… 108, 114
差止請求 …………………………… 14, 78
産業財産権 ………………………………… 12
思想 ………………………………………… 16
実演家 ……………………………… 26, 30
実演家人格権 ……………………………… 30
実用新案権 ………………………………… 12
私的使用目的の複製 ……………………… 52
氏名表示権 ………………………… 18, 100
写真の著作物 ……………………………… 39
授業での著作物の複製 …………………… 64
出版契約 …………………………………… 42
出版権 ……………………………………… 42
純粋美術 …………………………………… 44
消尽 ………………………………………… 36
譲渡 ………………………………… 36, 70
譲渡人 ……………………………………… 70
商標権 ……………………………………… 95
情報解析 …………………… 122, 124, 136
商用利用 …………………………………… 90
職務著作 …………………………………… 22

所在検索サービス ……………………110
書籍 ……………………………… 42, 52
所有権 …………………………… 28
人格権 …………………………… 18
図形の著作物 …………………… 39
スニペット表示 ……………………110
生成 AI ………………10, 134, 138, 140
素材 …………………………… 92
損害賠償 ………………… 14, 78, 82, 92

た行

大規模言語モデル …………………126
貸与権 …………………………… 36
知的財産権 ……………………… 12
著作権 ………………………… 30, 32
著作権者 ………………………… 14
著作権譲渡 ………… 14, 74, 104, 106
著作権侵害
　………70, 78, 80, 82, 94, 108, 134
著作権の共有 …………………… 84
著作権の保護期間 ……………… 24
著作権フリー …………………… 92
著作権法 …………………… 10, 12
著作財産権 ……………………… 30
著作者 ………………… 14, 22, 30
著作者人格権 … 14, 18, 30, 74, 78, 100, 104
著作の提示 ……………………… 34
著作物 …………… 10, 12, 14, 16
著作物の写り込み ……………… 54
著作物の提供 …………………… 36
著作物ライセンス契約書 ……………147
著作隣接権 ………………… 26, 30
データ …………………………… 16
データベース著作物 ……… 40, 68
展示 ………………………… 34, 66
電子書籍 ………………………… 42
同一性保持権 …………………… 18
動画の送信可能化権 …………… 26
投稿 …………………………… 98
当然対抗制度 …………………… 76
図書館 …………………………… 56
特許権 …………………………… 12

な・は行

二次的著作物 ………………… 20, 74
日本国著作権法 ……………………142
賠償請求 ………………………… 78
発明 …………………………… 12
パブリシティ権の侵害 ………………… 97
パブリック・ドメイン ……………… 72

パンフレット ……………………… 66
美術 …………………………… 44
美術工芸品 ……………………… 44
美術の著作物 ………… 39, 44, 66, 102
美的実用品 ……………………… 44
商標権 …………………………… 12
ファインチューニング ………………126
複製 ………………………… 10, 48
複製権 …………………………… 32
付随対象著作物 ………………… 54
不法行為 ………………………… 95
舞踊の著作物 …………………… 39
プライバシー権の侵害 …………… 97
ブログ …………………………… 96
プログラムの著作物 …………… 38
編集著作物 ……………………… 40
放送事業者 ………………… 26, 30
法定利用行為 …………………… 32
保護期間 ………………………… 72
翻案 ………………………… 10, 20
翻案権 …………………………… 74

ま行

無方式主義 ……………………… 12
名誉回復措置 …………………… 78
モニュメント ………………………102

や・ら・わ

有線放送事業者 …………………… 26, 30
譲受人 …………………………… 70
ライセンサー …………………… 76
ライセンシー …………………… 76
ライセンス ………… 14, 70, 106, 130
リーチアプリ …………………… 94
リーチサイト …………………… 94
利用許諾 ………………… 14, 70
利用権 …………………………… 76
利用行為地 ………………………142
量産品 …………………………… 44
権利侵害 ………………………… 78
頒布権 …………………………… 36
リンク …………………… 94, 132
類似性 …………………………… 80
ルール …………………………… 16
歴史的事実 ……………………… 16
レコード製作者 …………… 26, 30
録画 …………………………… 48
ワン・チャンス主義 …………… 26

■ 問い合わせについて

本書の内容に関するご質問は、下記の宛先までFAXまたは書面にてお送りください。
なお電話によるご質問、および本書に記載されている内容以外の事柄に関するご質問にはお答え
できかねます。あらかじめご了承ください。

〒162-0846
東京都新宿区市谷左内町21-13
株式会社技術評論社　書籍編集部
「60分でわかる!　最新 著作権 超入門」質問係
FAX:03-3513-6181

※ご質問の際に記載いただいた個人情報は、ご質問の返答以外の目的には使用いたしません。
　また、ご質問の返答後は速やかに破棄させていただきます。

60分でわかる!
最新 著作権 超入門

2024年7月6日　初版　第1刷発行

編著……………………STORIA 法律事務所　柿沼太一　杉浦健二　山城尚嵩
著………………………石田怜夢　齋藤直樹　坂田晃祐　杉野直子　田代祐子　菱田昌義
　　　　　　　　　　　山口宏和

発行者…………………片岡巌
発行所…………………株式会社 技術評論社
　　　　　　　　　　　東京都新宿区市谷左内町 21-13
電話……………………03-3513-6150　販売促進部
　　　　　　　　　　　03-3513-6185　書籍編集部
編集・レイアウト……宮崎綾子（Amargon）
担当……………………秋山絵美（技術評論社）
装丁……………………菊池　祐（株式会社ライラック）
本文デザイン…………山本真琴（design.m）
イラスト………………小坂タイチ
作図協力………………STUDIO d³
製本／印刷……………株式会社シナノ

ISBN978-4-297-14212-4 C0032
Printed in Japan